岩 波 文 庫

32-080-1

知 里 幸 惠
アイヌ神謡集

中 川 裕 補訂

JN054242

岩 波 書 店

序

　その昔この広い北海道は，私たちの先祖の自由の天地
でありました．天真爛漫な稚児の様に，美しい大自然に
抱擁されてのんびりと楽しく生活していた彼等は，真に
自然の寵児，なんという幸福な人たちであったでしょう．
　冬の陸には林野をおおう深雪を蹴って，天地を凍らす
寒気を物ともせず山又山をふみ越えて熊を狩り，夏の海
には涼風泳ぐみどりの波，白い鷗の歌を友に木の葉の
様な小舟を浮べてひねもす魚を漁り，花咲く春は軟らか
な陽の光を浴びて，永久に囀ずる小鳥と共に歌い暮して
蕗とり蓬摘み，紅葉の秋は野分に穂揃うすすきをわけ
て，宵まで鮭とる篝も消え，谷間に友呼ぶ鹿の音を外に，
円かな月に夢を結ぶ．嗚呼なんという楽しい生活でしょ
う．平和の境，それも今は昔，夢は破れて幾十年，この
地は急速な変転をなし，山野は村に，村は町にと次
第々々に開けてゆく．
　太古ながらの自然の姿も何時の間にか影薄れて，野辺
に山辺に嬉々として暮していた多くの民の行方も又いず
こ．僅かに残る私たち同族は，進みゆく世のさまにただ
驚きの眼をみはるばかり．しかもその眼からは一挙一動

宗教的感念に支配されていた昔の人の美しい魂の輝きは
失われて，不安に充ち不平に燃え，鈍りくらんで行手も
見わかず，よその御慈悲にすがらねばならぬ，あさまし
い姿，おお亡びゆくもの……それは今の私たちの名，な
んという悲しい名前を私たちは持っているのでしょう．

　その昔，幸福な私たちの先祖は，自分のこの郷土が末
にこうした惨めなありさまに変ろうなどとは，露ほども
想像し得なかったのでありましょう．

　時は絶えず流れる，世は限りなく進展してゆく．激し
い競争場裡に敗残の醜をさらしている今の私たちの中か
らも，いつかは，二人三人でも強いものが出て来たら，
進みゆく世と歩をならべる日も，やがては来ましょう．
それはほんとうに私たちの切なる望み，明暮祈っている
事で御座います．

　けれど……愛する私たちの先祖が起伏す日頃互いに意
を通ずる為に用いた多くの言語，言い古し，残し伝えた
多くの美しい言葉，それらのものもみんな果敢なく，亡
びゆく弱きものと共に消失せてしまうのでしょうか．お
おそれはあまりにいたましい名残惜しい事で御座います．

　アイヌに生れアイヌ語の中に生いたった私は，雨の宵，
雪の夜，暇ある毎に打集うて私たちの先祖が語り興じた
いろいろな物語の中極く小さな話の一つ二つを拙ない筆

に書連ねました.

　私たちを知って下さる多くの方に読んでいただく事が
出来ますならば，私は，私たちの同族祖先と共にほんと
うに無限の喜び，無上の幸福に存じます.

　大正十一年三月一日

　　　　　　　　　　　　　知　里　幸　惠

AEKIRUSHI

目　　次

アイヌ神謡集

Kamuichikap kamui yaieyukar,
"Shirokanipe ranran pishkan"

"Shirokanipe ranran pishkan, konkanipe
ranran pishkan." arian rekpo chiki kane
petesoro sapash aine, ainukotan enkashike
chikush kor shichorpokun inkarash ko
teeta wenkur tane nishpa ne, teeta nishpa
tane wenkur ne kotom shiran.
Atuiteksam ta ainuhekattar akshinotponku[1]
akshinotponai euweshinot korokai.
"Shirokanipe ranran pishkan,
konkanipe ranran pishkan." arian rekpo
chiki kane hekachiutar enkashike
chikush awa, unchorpoke ehoyuppa
ene hawokai: ──
"Pirka chikappo! kamui chikappo!
Keke hetak, akash wa toan chikappo
kamui chikappo tukan wa ankur, hoshkiukkur
sonno rametok shino chipapa ne ruwe tapan."

(1)　昔は男の子が少し大きくなると，小さい弓矢を作って与えます．
　　子供はそれで樹木や鳥などを的に射て遊び，知らずしらずの中に弓矢

梟の神の自ら歌った謡
「銀の滴 降る降るまわりに」

「銀の滴降る降るまわりに，金の滴
降る降るまわりに.」という歌を私は歌いながら
流に沿って下り，人間の村の上を
通りながら下を眺めると
昔の貧乏人が今お金持になっていて，昔のお金持が
今の貧乏人になっている様です.
海辺に人間の子供たちがおもちゃの小弓に
おもちゃの小矢をもってあそんで居ります.
「銀の滴降る降るまわりに，
金の滴降る降るまわりに.」という歌を
歌いながら子供等の上を
通りますと，（子供等は）私の下を走りながら
言うことには，
「美い鳥！ 神様の鳥！
さあ，矢を射てあの鳥
神様の鳥を射当てたものは，一ばんさきに取った者は
ほんとうの勇者，ほんとうの強者だぞ.」

の術に上達します.
ak……は弓術，shinot は遊戯，ponai は小矢.

12

hawokai kane, teeta wenkur tane nishpa nep
poutari, konkani ponku konkani ponai
uweunupa untukan ko, konkani ponai
shichorpok chikushte shienka chikushte,
rapokita, hekachiutar tumukeheta
shine hekachi yayan ponku yayan ponai
ukoani iyeutanne, chinukar chiki
wenkur poho ne kotomno imi ka wano
akoeraman. Kipnekorka shiktumorke(2)
chiuwante ko, nishpasani nekotomno, shinnai-
chikapne iyeutanne. Anihi nakka yayan ponku
yayan ponai uweunu wa unramante ko,
teeta wenkur tane nishpanep poutari euminare
ene hawokai: ——
"Achikara(3) ta   wenkur hekachi
toan chikappo kamui chikappo aokaiutar
akor konkaniai ka somouk(4) ko, enepkoran
wenkur hekachi kor yayanai muninchikuniai
toan chikappo kamui chikappo shinoshino

(2)　shiktumorke……眼つき.
　人の素性を知ろうと思う時は，その眼を見ると一ばんよくわかると申
　しまして，少しキョロキョロしたりすると叱られます.

言いながら，昔貧乏人で今お金持になってる者の
子供等は，金の小弓に金の小矢を
番えて私を射ますと，金の小矢を
私は下を通したり上を通したりしました．
その中に，子供等の中に
一人の子供がただの(木製の)小弓にただの小矢
を持って仲間にはいっています．私はそれを見ると
貧乏人の子らしく，着物でも
それがわかります．けれどもその眼色を
よく見ると，えらい人の子孫らしく，一人変り
者になって仲間入りをしています．自分もただの小弓に
ただの小矢を番えて私をねらいますと，
昔貧乏人で今お金持の子供等は大笑いをして
言うには，
「あらおかしや貧乏の子
あの鳥，神様の鳥は私たちの
金の小矢でもお取りにならないものを，お前の様な
貧乏な子のただの矢腐れ木の矢を
あの鳥，神様の鳥がよくよく

(3)　achikara……「汚い」という意味．
(4)　鳥やけものが人に射落されるのは，人の作った矢が欲しいので，
　　その矢を取るのだと言います．

uk nankor wa."
hawokai kane   wenkur hekachi   ukooterke
ukokikkik.   Kipnekorka   wenkur hekachi
senne ponno   ekottanu   uneyoko.
Shirki chiki   ihomakeutum   chiyaikore.
"Shirokanipe ranran pishkan,
konkanipe ranran pishkan." arian rekpo
chiki kane   moiretara   kamuinish kashi
chikoshikarinpa,   wenkur hekachi
oatchikiri   otuimaashi   oatchikiri   ohanke ashi,
poknapapushi   shikoruki   yoko wa anaine
unkotushura,   tapan ponai   ekshirkonna
tonnatara,   shirki chiki   chisantekehe
chiturpa wa   nean ponai   chieshikari
shikachikachiash   rapash humi
chiekisarshut   maukururu.
Ikichiash awa,   nerok hekattar   uhoyuppare
wenotaupun   shiokotpakor   unuwetushmak.
Toitoi kata   hachirash   koiramno   hoshkinopo
wenkur hekachi   unkoshirepa   uneshikari.
Shirki chiki,   teeta wenkur   tane nishpa nep
poutari   iyoshino   hoyuppa wa arki,

取るだろうよ.」
と言って，貧しい子を足蹴にしたり
たたいたりします．けれども貧乏な子は
ちっとも構わず私をねらっています．
私はそのさまを見ると，大層不憫に思いました．
「銀の滴降る降るまわりに，
金の滴降る降るまわりに.」という歌を
歌いながらゆっくりと大空に
私は輪をえがいていました．貧乏な子は
片足を遠く立て片足を近くたてて，
下唇をグッと嚙みしめて，ねらっていて
ひょうと射放しました．小さい矢は美しく飛んで
私の方へ来ました，それで私は手を
差しのべてその小さい矢を取りました．
クルクルまわりながら私は
風をきって舞い下りました．
すると，彼(か)の子供たちは走って
砂吹雪をたてながら競争しました．
土の上に私が落ちると一しょに，一等先に
貧乏な子がかけついて私を取りました．
すると，昔貧乏人で今は金持になってる者の
子供たちは後から走って来て

tuwan wenitak   rewan wenitak   shuipa kane
wenkur hekachi   ukooputuipa   ukokikkik.
"Shirun hekachi   wenkur hekachi
hoshki tashi   aki kushnep   eiyetushmak."
hawokai ko,   wenkur hekachi   unkashike
kamu kamu   unhonkokishma.

Hushkotoi wano   iki aine   ainuutur wa
soikosanu   orowano   hoyupu humi   taknatara.
Teeta wenkur   tane nishpa nep   poutari
shuma ari   nihum ari   yapkir korka
wenkur hekachi   senne ponno   ekottanu
wenotaupun   shiokote   hoyupu aine
     shine ponchise
chisesoikehe   akoshirepa. Pon hekachi
rorunpurai kari   unahunke   kurkashike
itakomare,   tapne tapne   nekatuhu   eisoitak.
Chiseupshor wa   onneumurek
tekkakipo   rikunruke   raunruke   arki wa
inkarash ko,   shino wenkur   ikikorkaiki
nishpa ipor   katkemat ipor   ukoturpa,
unnukar awa,   ikkeu noshki   komkosampa.

二十も三十も悪口をついて
貧乏な子を押したりたたいたり
「にくらしい子，貧乏人の子
私たちが先にしようとする事を先がけしやがって．」
と言うと，貧乏な子は，私の上に
おおいかぶさって，自分の腹にしっかりと私を押えて
　　　いました．
もがいてもがいてやっとの事，人の隙から
飛び出しますと，それから，どんどんかけ出しました．
昔貧乏人で今は金持の子供等が
石や木片を投げつけるけれど
貧乏な子はちっとも構わず
砂吹雪をたてながらかけて来て一軒の小屋の

表へ着きました．子供は
第一の窓から私を入れて，それに
言葉を添え，斯々のありさまを物語りました．
家の中から老夫婦が
眼の上に手をかざしながらやって来て
見ると，大へんな貧乏人ではあるけれども
紳士らしい淑女らしい品をそなえています，
私を見ると，腰の央をギックリ屈めて，ビックリ

18

Poroshikupkur   yaikokutkor   yupu kane
unkoonkami.
"Kamuichikap kamui   pase kamui
wenash shiri   chiwenchisehe
koshirepa shiri   iyairaikere.
Teeta anak   nishpa otta   yayukopishkip
chine akorka   tane anakne   tan korachi
shirun wenkur ne   okayash wa,
      Kotankor[5] Kamui
pase kamui   chireushire ka
aeoripak   kiwaneyakka   tanto anak
tane shirkunne kushu   tanukuran   pase kamui
areushire wa   nisatta anak   ouse inau aripoka
pase kamui   aomante kushne." ari okaipe
ye kor   tuwan onkami   rewan onkami
      ukakushte.
Poroshikupmat   rorunpurai   chorpoketa
okitarunpe   soho kar wa   otta unante.

(5)   kotankorkamui……国または村を持つ神.
    山には，nupurikorkamui……山を持つ神（熊）と nupuripakorkamui
    ……山の東を持つ神（狼）などがあって，ふくろうは熊，狼の次におか
    れます.

　　しました.
老人はキチンと帯をしめ直して,
私を拝し
「ふくろうの神様, 大神様,
貧しい私たちの粗末な家へ
お出で下さいました事, 有難う御座います.
昔は, お金持に自分を数え入れるほどの者で
御座いましたが今はもうこの様に
つまらない貧乏人になりまして, 国の神様

大神様をお泊め申すも
畏れ多い事ながら今日はもう
日も暮れましたから, 今宵は大神様を
お泊め申し上げ, 明日は, ただイナウだけでも
大神様をお送り申し上げましょう.」という事を
申しながら何遍も何遍も礼拝を重ねました.

老婦人は, 東の窓の下に
敷物をしいて私をそこへ置きました.
　　kotankorkamui は山の神, 山の東の神, の様に荒々しいあわて者で
　はありません. それでふだんは沈着いて, 眼をつぶってばかりいて,
　よっぽど大変な事のある時でなければ眼を開かないと申します.

Taporowa opittano hotkei nani etoro hawe
meshrototke.

Chinetopake ashurpe ututta rokash kane
okayash aine shiannoshki turpaketa
chirikipuniash.

"Shirokanipe ranran pishkan,
konkanipe ranran pishkan."

arian rekpo haukenopo chiki kane,
tapan ponchise eharkiso[6] un eshiso un[7]
terkeash humi tununitara.

Shirappaash ko unpishkan ta
pirkaikor kamuiikor tuihumkonna
tununitara.

Irukai neko tan ponchise pirkaikor
kamuiikor chieshikte.

"Shirokanipe ranran pishkan,
konkanipe ranran pishkan."

arian rekpo chiki kane tapan ponchise
irukai neko kani chise poro chise ne

(6) eharkiso……左の座.
(7) eshiso……右の座.
　家の央に囲炉裏があって，東側の窓のある方が上座，上座から見て右
　が eshiso 左が harkiso．上座に坐るのは男子に限ります．お客様な

それからみんな寝ると直ぐに高いびきで
寝入ってしまいました.
私は私の体の耳と耳の間に坐って
いましたがやがて, ちょうど, 真夜中時分に
起き上りました.
「銀の滴降る降るまわりに,
金の滴降る降るまわりに.」
という歌を静かにうたいながら
この家の左の座へ右の座へ
美しい音をたてて飛びました.
私が羽ばたきをすると, 私のまわりに
美しい宝物, 神の宝物が美しい音をたてて
落ち散りました.
一寸のうちに, この小さい家を, りっぱな宝物
神の宝物で一ぱいにしました.
「銀の滴降る降るまわりに,
金の滴降る降るまわりに.」
という歌をうたいながらこの小さい家を
一寸の間にかねの家, 大きな家に

　　どで, 家の主人よりも身分の卑しい人は上座につく事を遠慮します.
　　右の座には主人夫婦がならんですわる事にきまっています. 右座の次
　　が左の座で, 西側(戸口の方)の座が一ばん下座になっています.

chikar okere, chiseupshoro kamuiimoma

chiekarkar, kamuikosonte pirkaike
chitunashkarkar chiseupshoro chietomte.
Nishpa horari ruwe okkashita tan porochise
upshoroho chitomtekarkar, chiokere ko
hushko anpe chishikopayar chihayokpehe[8]
ashurpeututta rokash kane okayash.
Chisekorutar chiwentarapka.
Ainunishpa maukowen wa wenkur ne wa,
teeta wenkur tane nishpa nep utarorke wa
apiye hawe akorewen shiri chinukar wa,
chierampoken kushu, pashtakamui
chine ruwe ka shomone korka, ainuchise
chiko reushi chipirkare ruwe ne katuhu
chieramante.
Taporowa ponno okayash shirpeker awa
chisekor utar shine ikinne uhopunpare.
Shik noyanoya inkanrokpe opittano

(8) hayokpe 冑.
　鳥でもけものでも山にいる時は，人間の目には見えないが，各々に人
　間の様な家があって，みんな人間と同じ姿で暮していて，人間の村へ

作りかえてしまいました，家の中は，りっぱな宝物の
　　　積場
を作り，りっぱな着物の美しいのを
早つくりして家の中を飾りつけました．
富豪の家よりももっとりっぱにこの大きな家の
中を飾りつけました．私はそれを終ると
もとのままに私の冑の
耳と耳の間に坐っていました．
家の人たちに夢を見せて
アイヌのニシパが運が悪くて貧乏人になって
昔貧乏人で今お金持になっている者たちに
ばかにされたりいじめられたりしてるさまを私が見て
不憫に思ったので，私は身分の卑しいただの神では
ないのだが，人間の家
に泊って，恵んでやったのだという事を
知らせました．
それが済んで少したって夜が明けますと
家の人々が一しょに起きて
目をこすりこすり家の中を見るとみんな

　出て来る時は冑を着けて出て来るのだと言います．そして鳥やけもの
の屍体は冑で本体は目には見えないけれども，屍体の耳と耳の間にい
るのだと言います．

amso kata oahuntaipa. Poroshikupmat

tuchish wenpe yayekote, poroshikupkur

tu pekernupe re pekernupe yaikorapte,

okai rokine, poroshikupkur chirikipuni

unotta arki tuwan onkami rewan onkami

ukakushte kurkashike itakomare:

"Tarap hetapne mokor hetapne chiki kuni

chiramu awa iyosserkere ikaran ruwe,

wenash shiri otuiash[9] shiri chiwenchisehe

koshirepa patek neyakka chieyairaikep,

Kotankor Kamui pase kamui

    maukowenashruwe

chierampoken unekarkar,

chikashnukar[10] nakka shipase ike aunekarkar

kiruweokai." ari okaipe chishturano

eonkami.

Taporowa poroshikupkur inauni tuye

pirka inau tomtekar wa unetomte.

Poroshikupmat yaikokutkor yupu kane

(9) otuipe……尻の切れた奴.
  犬の尻尾の切れた様に短いのはあまり尊びません.
  極くつまらない人間の事を wenpe……悪い奴, otuipe……尻尾の切
  れた奴と悪口をします.

床の上に腰を抜かしてしまいました．老婦人は
声を上げて泣き，老人は
大粒の涙をポロポロこぼして
いましたが，やがて，老人は起き上り
私の処へ来て，二十も三十も礼拝
を重ねて，そして言う事には，
「ただの夢ただの眠りをしたのだと
思ったのに，ほんとうに，こうしていただいた事．
つまらないつまらない，私共の粗末な家に
お出で下さるだけでも有難く存じますものを
国の神様，大神様，私たちの不運な

事を哀れんで下さいまして
お恵みのうちにも最も大きいお恵みをいただき
ました事．」と言う事を泣きながら
申しました．
それから，老人はイナウの木をきり
りっぱなイナウを美しく作って私を飾りました．
老婦人は身仕度をして

(10)　chikashnukar. 神が大へん気に入った人間のある時，ちっとも思
　　　いがけない所へ，その人間に何か大きな幸を恵与すると，その人は
　　　ikashnukar an と言ってよろこびます．

pon hekachi shikashuire usa nina
usa wakkata sakeshuye etokooiki, irukai neko
iwan shintoko rororaipa.

Orowano apehuchi[11] kamuihuchi tura
usaokai kamuiorushpe chieuweneusar.[12]

Tutko pakno shiran ko, kamuierushuipe
nepnekushu chiseupshoro sakehura
epararse.

Tata otta nea hekachi okamkino
hushko amip amire wa kotanepitta okai
teeta wenkur tane nishpa nep utarorkehe
ashke[13] aukte kushu asange wakushu
oshiinkarash ko ponhekachi chisepishno
ahun wa sonkoye ko,

teeta wenkur tane nishpa nep utarorkehe
euminare:

"Usainetapshui wenkurutar koohanepo
nekonaan sake kar wa nekonaan

---

(11) apehuchi……火の老女．火の神様は，家の中で最も尊い神様で
     おばあさんにきまっています．山の神や海の神，その他種々な神々が
     このふくろうの様にお客様になって，家へ来た時は，この apehuchi
     が主になって，お客のお相手をして話をします．ただ kamuihuchi（神
     老女）と言ってもいい事になっています．

小さい子を手伝わせ，薪をとったり
水を汲んだりして，酒を造る仕度をして，一寸の間に
六つの酒樽を上座にならべました．
それから私は火の老女，老女神と
種々な神の話を語り合いました．
二日程たつと，神様の好物ですから
はや，家の中に酒の香が
漂いました．
そこで，あの小さい子に態(わざ)と
古い衣物を着せて，村中の
昔貧乏人で今お金持になっている人々を
招待するため使いに出してやりました．ので
後見送ると，子供は家毎に
入って使いの口上を述べますと
昔貧乏人で今お金持になっている人々は
大笑いをして
「これはふしぎ，貧乏人どもが
どんな酒を造ってどんな

(12)　neusar 語り合う事．
　　種々な世間話を語り合うのも neusar. 普通 kamuiyukar(神謡)や
　　uwepeker(昔譚)の様なものを neusar と言います．
(13)　ashke a uk. ashke は指，手．a uk は取る．なにか祝いがある
　　とき人を招待する事を言います．

28

marapto an wa eunahunke hawe ta an,
payean wa nekona shirki ya inkarash wa
aemina ro." ari
hawokai kane inne topa ne uweutanne
arki aine toop tuimano ouse chise nukar wa
ehomatpa yashtoma wa nani hoshippap ka okai,
chisesoi pakno arki wa oahuntaipap ka okai.
Shirki chiki chisekor katkemat soine wa
ainuopitta ashkehe uk wa ahupte ko,
opitta no shinu kane reye kane ahup wa
hepunpa ruwe oararisham.
Shiranchiki chisekon nishpa chirikipuni
ki charanke kakkokhau(14) ne ouseturse
ene ene ne katuhu eisoitak:
"Tapne tapne wenkur ane wa raukisamno
ukopayekai ka aeaikap ruwe ne a korka
pase kamui unerampokiwen, nep wenpuri
chikon ruwe ka somone a kushu tankorachi
aunkashnukar ki ruwene kushu,
tan tewano kotanepitta shine utar

(14) kakkokhau……カッコウ鳥の声.
　　カッコウ鳥の声は，美しくハッキリと耳に響きますから，ハキハキと

御馳走があってそのため人を招待するのだろう，
行ってどんな事があるか見物して
笑ってやりましょう.」と
言い合いながら大勢打ち連れて
やって来て，ずーっと遠くから，ただ家を見ただけで
驚いてはずかしがり，そのまま帰る者もあります，
家の前まで来て腰を抜かしているのもあります.
すると，家の夫人が外へ出て
人皆の手を取って家へ入れますと，
みんないざり這いよって
顔を上げる者もありません.
すると，家の主人は起き上って
カッコウ鳥の様な美しい声で物を言いました.
斯々の訳を物語り
「この様に，貧乏人でへだてなく
互に往来も出来なかったのだが
大神様があわれんで下され，何の悪い考えも
私どもは持っていませんのでしたのでこの様に
お恵みをいただきましたのですから
今から村中，私共は一族の者

　してみんなによくわかるように物を言う人の事をカッコウ鳥の様だと
　申します.

ane ruwene kushu　uwekatairotkean
ukopayekaian　ki kunine　nishpa utar
akoramkor　shiri tapan." ari okaipe
echaranke awa　nishpa utar
otusanashke　oresanashke　ukaenoipa
chisekor nishpa　koyayapapu,　tewano anak
uwekatairotke kuni　eukoitak.
Chiokai nakka　aunkoonkami.
Taporowa　ainuopitta　ramuriten wa
shisak tonoto　ukoante.
Chiokai anak　Kamui Huchi　Chisekor Kamui[15]
Nusakor[16] Huchi tura　uweneusarash kor
ainupitoutar　tapkar shiri　rimse shiri
chinukar wa　chieyaikiror　ante kane,
tutko rerko　shiran ko　ikuoka an,
ainupitoutar　uwekatairotke shiri
chinukar wa　chieramushinne,
Kamui Huchi　Chisekor Kamui

（15）　chisekorkamui……家を持つ神.
　　　火の神が主婦で，家の神が主人の様なものです．男性で chisekor-
　　　ekashi……家を持つおじいさんとも申します.
（16）　nusakorkamui……御幣棚を持つ神，老女.
　　　御幣棚の神も女性にきまっています．何か変事の場合人間にあらわれ

なんですから，仲善くして
互に往来をしたいという事を皆様に
望む次第であります.」という事を
申し述べると，人々は
何度も何度も手をすりあわせて
家の主人に罪を謝し，これからは
仲よくする事を話し合いました.
私もみんなに拝されました.
それが済むと，人はみな，心が柔らいで
盛んな酒宴を開きました.
私は，火の神様や家の神様や
御幣棚の神様と話し合いながら
人間たちの舞を舞ったり躍りをしたりするさまを
眺めて深く興がりました. そして
二日三日たつと酒宴は終りました.
人間たちが仲の善いありさまを
見て，私は安心をして
火の神，家の神

る事がありますが，その時は蛇の形をかりてあらわれると言います.
それで御幣棚の近所に，または東の方の窓の近所に，蛇が出て来たり
すると，「きっと御幣棚のおばあさんが用事があって外出したのだろ
う」と言って，決してその蛇を殺しません. 殺すと罰が当りますと言
います.

Nusakor Huchi   chietutkopak.
Taporowa   chiunchisehe   chikohekomo.
Unetokta   chiunchisehe   pirka inau
pirka sake   chieshikte.
Shiran chiki   hanke kamui   tuima kamui
chikosonkoanpa   chitak wa   shisak tonoto
chiukoante,   ikutuikata   kamuiutar
chikoisoitaka,   ainukotan chihotanukar
eneshirani   eneshirkii   chiomommomo ko,
kamuiutar   unkopuntek.
Kamuiutar   hekompaita   pirka inau
tup chikore   rep chikore.
Nea ainukotan orun   inkarash ko
tane anakne   ratchitara   ainupitoutar
opittano   uwekatairotke   nea nishpa
kotan esapane wa okai,
nea hekachi   tane anakne   okkai pakno
shikup wa,   mat ka kor   po ka kor,
onaha ka,   unuhu ka,   nunuke kor okai,
rammaramma   sakekarichi ko
ikiratpa ta   usa inau   usa sake unenomi,
chiokai nakka   ainuutar   sermakaha

御幣棚の神に別れを告げました.
それが済むと私は自分の家へ帰りました.
私の来る前に, 私の家は美しい御幣
美酒が一ぱいになっていました.
それで近い神, 遠い神に
使者をたてて招待し, 盛んな酒宴を
張りました, 席上, 神様たちへ
私は物語り, 人間の村を訪問した時の
その村の状況, その出来事を詳しく話しますと
神様たちは大そう私をほめたてました.
神様たちが帰る時に美しい御幣を
二つやり三つやりしました.
彼^かのアイヌ村の方を見ると,
今はもう平穏で, 人間たちは
みんな仲よく, 彼のニシパが
村に頭になっています,
彼の子供は, 今はもう, 成人
して, 妻ももち子も持って
父や母に孝行をしています,
何時でも何時でも, 酒を造った時は
酒宴のはじめに, 御幣やお酒を私に送ってよこします.
私も人間たちの後に坐して

hempara nakka　chiehorari,
ainumoshir　chiepunkine wa okayash.
　　ari kamuichikap kamui isoitak.

何時でも
人間の国を守護っています.

　　と，ふくろうの神様が物語りました.

Chironnup yaieyukar, "Towa towa to"

Towa towa to
Shineanto ta armoisam un nunipeash kusu
sapash.
Shumatumu chashchash, towa towa to
nitumu chashchash, towa towa to
sapash kor shietok un inkarash awa
armoisam ta hunpe yan wa
ainupitoutar ushiyukko turpa kane
isoetapkar iso erimse ichautar irurautar
utasatasa nishpautar isoeonkamip[1]
emush ruikep armoisama kokunnatara,
chinukat chiki shino chieyaikopuntek.
"Hetakta usa tooani chikoshirepa
ponno poka chiahupkar okai." ari
yainuash kushu "Ononno![2] Ononno!" ari
hotuipaash kor,
shumatumu chashchash, towa towa to

(1) isoeonkami. iso は海幸, eonkami は……を謝す事.
    鯨が岸で打ち上げられるのは，海の大神様が人間に下さる為に御自分
    で持って来て，岸へ打ち上げて下さるものだと信じて，その時は必ず

狐が自ら歌った謡「トワトワト」

トワトワト

ある日に海辺へ食物を拾いに

出かけました.

石の中ちゃらちゃら

木片の中ちゃらちゃら

行きながら自分の行手を見たところが

海辺に鯨が寄り上って

人間たちがみんな盛装して

海幸をば喜び舞い海幸をば喜び躍り肉を切る者運ぶ者が

行き交うて重立った人たちは海幸をば謝し拝む者

刀をとぐ者など浜一ぱいに黒く見えます.

私はそれを見ると大層喜びました.

「ああ早くあそこへ着いて

少しでもいいから貰いたいものだ.」と

思って「ばんざーい！ ばんざーい」と

叫びながら

石の中ちゃらちゃら

　　重立った人が盛装して沖の方をむいて礼拝をします.
（2）　ononno．これは海に山に猟に出た人が何か獲物を持って帰って来
　　た時にそれを迎える人が口々に言う言葉です.

nitumu chashchash, towa towa to
payeash aine hankeno payeash inkarash awa
senneka shui inkarash kuni chiramuai
humpe yan ruwe nekuni patek chiramuap
armoisam ta setautar osomai an wa
poro shinupuri chishireanu,
newaanpe humpe ne kuni chiramu ruwe
ne rokokai.
Ainupitoutar isoerimse isoetapkar
usa icha usa irura kishiri nekuni
chiramurokpe shipashkurutar
shi tokpa shi charichari
tonta terke teta terke shirine awokai.
Irushkakeutum chiyaikore.
"Toishikimanaush towa towa to
wenshikimanaush towa towa to
sarpoki huraot towa towa to
sarpoki munin towa towa to
ointenu towa towa to
otaipenu towa towa to
inkar hetap neptap teta ki humi okai."
Orowano shui

木片の中ちゃらちゃら
行って行って近くへ行って見ましたら
ちっとも思いがけなかったのに
鯨が上ったのだとばかり思ったのは
浜辺に犬どもの便所があって
大きな糞の山があります,
それを鯨だと私は思ったので
ありました.
人間たちが海幸をば喜んで躍り海幸をば喜び舞い
肉を切ったりはこんだりしているのだと
私が思ったのはからすどもが
糞をつっつき糞を散らし散らし
その方へ飛びこの方へ飛びしているのでした.
私は腹が立ちました.
「眼の曇ったつまらない奴
眼の曇った悪い奴
尻尾の下の臭い奴
尻尾の下の腐った奴
お尻からやにの出る奴
お尻から汚い水の出る奴
なんという物の見方をしたのだろう.」
それからまた

shumatumu chashchash, towa towa to
nitumu chashchash, towa towa to
rutteksam peka hoyupuash kor
inkarash awa unetokta
chip an kane shiran kiko chiposhketa
ainu tunpish uniwente[3] kor okai,
"Usainetap shui nep aehomatup
an wa tapne shirki kiya, senne nepeka
chipkohokush utar hene okai ruwe hean?
Hetakta usa nohankeno payeash wa
ainuorushpe chinu okai."
yainuash kushu tapan hokokse[4]
chiriknapuni,
shumatumu chashchash, towa towa to
nitumu chashchash, towa towa to
terkeash kane payeash wa inkarash awa
chip ne kuni chiramuap atuiteksamta an
shirar ne wa, ainu ne kuni chiramuap

(3) uniwente……大水害のあと，火災のあと，火山の破裂のあと，その他種々な天災のあったあとなどに，または人が熊に喰われたり，海や川に落ちたり，その他なににによらず変った事で負傷したり，死んだりした場合に行う儀式の事.
その時は槍や刀のさきを互いに突き合せながらお悔みの言葉を交しま

石の中ちゃらちゃら

木片の中ちゃらちゃら

海のそばから走りながら

見たところが私の行手に

舟があってその舟の中で

人間が二人互いにお悔みをのべています，

「おや，何の急変が

あるのでああいう事をしているのだろう，もしや

舟と一しょに引繰かえった人でもあるのではないかしら，

おお早くずっと近くへ行って

人の話を聞きたいものだ.」

と思うのでフオホホーイと

高く叫んで

石の中ちゃらちゃら

木片の中ちゃらちゃら

飛ぶようにして行って見たら

舟だと思ったのは浜辺にある

岩であって，人だと思ったのは

す.一つの村に罹災者が出来ると，近所の村々から沢山の代表者がその村に集ってその儀式を行いますが，一人と一人でも致します.

(4)　hokokse……uniwente の時，また大へんな変り事が出来た時に神様に救いを求める時の男の叫び声.フオホホーイと，これは男に限ります.

42

tu porourir　ne awokai.

Tu porourir　tannerekuchi　turpa yonpa,

ikichi shiri　uniwente an　shirine pekor

chinukan ruwe　ne awokai.

"Toishikimanaush,　towa towa to

wenshikimanaush,　towa towa to

sarpoki huraot,　towa towa to

sarpoki munin,　towa towa to

ointenu,　towa towa to

otaipenu,　towa towa to

inkar hetap　neptap teta　ki humi okai."

Orowa no shui

shumatumu chashchash,　towa towa to

nitumu chashchash,　towa towa to

terkeash kane　petturashi　payeash awa,

toop penata　menoko tunpish

utka otta　roshki kane　uchishkar kor okai,

chinukar chiki　chiehomatu,

"Usainetapshui　nep wenpe an,

nep ashurek[5]　wata　uchishkaran[6]　shiri

(5)　ashur は変った話，ek は来る.

　……村から遠い所に旅に出た人が病気したとか死んだとかした時にそ

二羽の大きな鵜であったのでした.

二羽の大きな鵜が長い首をのばしたり縮めたり

しているのを悔みを言い合っている様に

私は見たのでありました.

「眼の曇ったつまらない奴

眼の曇った悪い奴

尻尾の下の臭い奴

尻尾の下の腐った奴

お尻からやにの出る奴

お尻から汚い水の出る奴

なんという物の見方をしたのだろう.」

それからまた

石の中ちゃらちゃら

木片の中ちゃらちゃら

飛ぶ様にして川をのぼって行きましたところが

ずーっと川上に女が二人

浅瀬に立っていて泣き合っています.

私はそれを見てビックリして

「おや，なんの悪い事があって

なんの凶報が来てあんなに泣き合って

　　の所からその人の故郷へ使者がその変事を知らせに来るとか，外の村
　　で誰々が死にましたとか，何々の変った事がありましたとかと村へ人

okaipe ne ya ?
Hetaktausa　shirepaash wa　ainuorushpe
chinu okai."
yainuash kushu,
shumatumu chashchash,　towa towa to
nitumu chashchash,　towa towa to
terkeash kane　payeash wa　inkarash awa
pethontomta　tu uraini　roshki kanan ko,
tu uraiikushpe　chiukururu ko,
tu menoko　uko hepoki　ukohetari kane
uchishkar shiri　ne kuni　chiramu ruwe
ne awokai,
"Toishikimanaush,　towa towa to
wenshikimanaush,　towa towa to
sarpoki huraot,　towa towa to
sarpoki munin,　towa towa to
ointenu,　towa towa to
otaipenu,　towa towa to

が知らせに来る事を言います.
その使者を ashurkorkur(変った話を持つ人)と言います.
ashurkorkur は村の近くへ来た時に先ず大声をあげて hokokse(フオ
ホホーイ)をします. すると,それをききつけた村人は,やはり大声で
叫びながら村はずれまで出迎えてその変り事をききます.

いるのだろう？
ああ早く着いて人の話を
聞きたいものだ.」
と思って
石の中ちゃらちゃら
木片の中ちゃらちゃら
飛ぶ様にして行って見たら
川の中程に二つの簗があって
二つの簗の杭が流れにあたってグラグラ動いているのを
二人の女がうつむいたり仰むいたりして
泣き合っているのだと私は思ったの
でありました.
「眼の曇ったつまらぬ奴
眼の曇った悪い奴
尻尾の下の臭い奴
尻尾の下の腐った奴
お尻からやにの出る奴
お尻から汚い水の出る奴

(6) uchishkar……泣き合う. これは女の挨拶, 長く別れていて久しぶ
りで会った時, 近親の者が死んだ時, 誰かがなにか大変な危険にあっ
て, やっと免れた時などに, 女どうしで手を取り合ったり, 頭や肩を
抱き合ったりして泣く事.

inkar hetap　neptap teta　ki humi okai."
Orowano shui　petturashi
shumatumu chashchash,　towa towa to
nitumu chashchash,　towa towa to
terkeash kane　hoshippaash wa　arkiash.
Shietokun　inkarash awa,
nekonne shiri　ne nankora,
chiunchisehe　nuikohopuni
kamuinish kata　rikin shupuya
kutteknish ne,　chinukar chiki
homatpaash　yainuturainuash pakno
homatpaash,　matrimimse[7]　chiriknapuni
terkeash awa　unetunankar　hemantaanpe
taruipeutanke[8]　riknapuni　unteksamta
chitursere,　inkarash awa　chimachihi
homatuipor　eun kane　hese hawe　taknatara :
"Chikor nishpa　nekonne hawe tan ?"
Hawash chiki　inkarash awa　neita tapne
chiseuhui　an pokor　inkarash awa

(7)　matrimimse(女の叫び声)……何か急変の場合または uniwente の
　　場合，男は hokokse（フオホホーイ）と太い声を出しますが，女はほ
　　そくホーイと叫びます.
　　　女の声は男の声よりも高く強くひびくので神々の耳にも先にはいると

なんという物の見方をしたのだろう.」
それからまた, 川をのぼって
石の中ちゃらちゃら
木片の中ちゃらちゃら
飛ぶようにして帰って来ました.
自分の行手を見ましたところが
どうしたのだか
私の家が燃えあがって
大空へ立ちのぼる煙は
立ちこめた雲の様です. それを見た私は
ビックリして気を失うほど
驚きました. 女の声で叫びながら
飛び上りますと, むこうから誰かが
大きな声でホーイと叫びながら私のそばへ
飛んで来ました. 見るとそれは私の妻で
ビックリした顔色で息せききって,
「旦那様どうしたのですか?」
と言うので, 見ると
火事の様に見えたのに
　　言います. それで急な変事が起った時には, 男でも女の様にほそい声
　　を出して, 二声三声叫びます.
　(8)　peutanke……rimimse と同じ意ですが, これは普通よく用いられ
　　る言葉で, rimimse の方は少し難かしい言葉になっています.

chiunchisehe　ene ani nepkor
ash kane an, ape ka isam　shupuya ka isam,
oroyachiki　chimachihi　iyuta ko
rapoketa　rerarui wa　tuituye amam
murihi　rera paru shiri
shupuya nepkor　chinukan ruwe　ne rokokai.
Nunipeash yakka　aep omukenash　kashikunshui,
peutankeash wa　chimachihi
ehomatu kushu,　tuituye koran　amam neyakka
mui turano　eyapkir wa　isam kushu,
tanukuran anak　sayosakash,
irushkaash kushu　chiamasotki　sotkiasam
chikoyayoshura.
"Toishikimanaush,　towa towa to
wenshikimanaush,　towa towa to
sarpoki huraot,　towa towa to
sarpoki munin,　towa towa to
ointenu,　towa towa to
otaipenu,　towa towa to
inkar hetap　neptap teta　ki humi okai."

ari

Chironnup tono yaieyukar.

私の家はもとのまま

たっています. 火もなし，煙もありません.

それは，私の妻が搗物をしていると

その時に風が強く吹いて簸ている粟の

糠が吹き飛ばされるさまを

煙の様に私は見たのでありました.

食物を探しに出かけても食物も見付からず，その上に

また，私が大声を上げたので私の妻が

それに驚いて簸ていた粟をも

箕と一しょに放り飛ばしてしまったので

今夜は食べる事も出来ません.

私は腹立たしくて床の底へ

身を投げて寝てしまいました.

「眼の曇ったつまらぬ奴

眼の曇った悪い奴

尻尾の下の臭い奴

尻尾の下の腐った奴

お尻からやにの出る奴

お尻から汚い水の出る奴

なんという物の見方をしたのだろう.」

　　　　　　　　　　　　　と

　　　　　狐の頭が物語りました.

Chironnup yaieyukar,
"Haikunterke Haikoshitemturi"

Haikunterke Haikoshitemturi
Moshiresani kamuiesani tapkashike
chiehorari okayash.
Shineanto ta soita soineash inkarash awa,
pirka neto netokurkashi teshnatara, atuisho kata
Okikirmui Shupunramka Samayunkur
repa kushu resoush wa paye korokai.
　　Shirki chiki
chikor wenpuri unkosankosan.
Tapanesannot moshiresani kamui esani
tapkashike too heperai too hepashi
koshneterke chikoikkeukan matunitara
nitnepause[1] pausenitkan chikekkekekke

tapan petetok chinukannukar shirwen nitnei
chihotuyekar, neikorachi tapan petpo
petetokwano yupkerera shupne rera
chisanasanke atuika oshma hontomota

(1)　pau. 狐の鳴声の擬声詞.

狐が自ら歌った謡
「ハイクンテレケ ハイコシテムトリ」

ハイクンテレケ ハイコシテムトリ
国の岬，神の岬の上に
私は坐して居りました．
ある日に外へ出て見ますと
海は凪ぎてひろびろとしていて，海の上に
オキキリムイとシュプンラムカとサマユンクルが
海猟に三人乗りで出かけています，それを見た私は

私の持ってる悪い心がむらむらと出て来ました．
この岬，国の岬，神の岬
の上をずーっと上へずーっと下へ
軽い足取りで腰やわらかにかけ出しました．
重い調子で木片をポキリポキリと折る様にパーウ，
　　　パウと叫び
この川の水源をにらみにらみ暴風の魔を
呼びました．すると，それにつれてこの川の
水源から烈しい風，つむじ風が
吹き出して海にはいると直ぐに

tapan atui kannaatui chipoknare
poknaatui chikannare. Okikirmui utarorke
kon repachip repunkuratui yaunkuratui
uweushi ta anisapushkap kaiuturu

koshikarimpa. Tapan ruyanpe nupuri shinne
chip kurkashi kotososatki. Shirki chiki
Okikirmui Samayunkur Shupunramka
humse tura chipokonanpe kohokushhokush.
Tapan ponchip komham turse shikopayar
chikipokaiki upsh anke shirki korka
ineapkushu ainupitoutar okirashnu wa
shirki nankora tapan ponchip rera tumta
kampekurka echararse.
Chinukat chiki chikor wenpuri unkosankosan.

Koshneterke chikoikkeukan matunitara,
nitnepause pausenitkan chikekkekekke

shirwen nitnei sermaka chiush chikoarikiki.
Shirki aine hunakpaketa Samayunkur
tektuika wa tektuipok wa kem chararse

この海は，上の海が下になり
下の海が上になりました．オキキリムイたち
の漁舟は沖の人の海と，陸の人の海との
出会ったところ(海の中程)に，非常な急変に会って
　　波の間を
クルリと廻りました．大きな浪が山の様に
舟の上へかぶさり寄ります．すると，
オキキリムイ，サマユンクル，シュプンラムカは
声をふるって，舟を漕ぎました．
この小さい舟は落葉の飛ぶ様に吹き飛ばされ
今にもくつがえりそうになるけれども
感心にも人間たちは力強くて
この小舟は風の中に
波の上をすべります．
それを見ると私の持っている悪い心がむらむらと出
　　て来ました．
軽い足取りで腰やわらかにかけまわり，
重い調子で木片がポキリポキリと折れる様にパウ，
　　パウと叫び
暴風の魔を声援するのみに精を出しました．
そうしてる中に，やっと，サマユンクルが
手の上から，手の下から血が流れて

shinkiekot.
Shirki chiki raukimina　chiuweshuye.
Orowanoshui　arikikiash
koshneterke　chikoikkeukan　matunitara,
nitnepause　pausenitkan　chikekkekekke,
shirwen nitnei　sermaka chiush.
Okikirmui　Shupunramka　etunne kane
ukoorshutke　tumashnu assap　pekotopo
　　pekoreupa
ikichi aine　hunakpaketa　Shupunramka
tektuika wa　tektuipok wa　kem chararse
shinkiekot.　Shirki chiki
raukimina　chiuweshuye.
Orowanoshui　koshne terke　chikoikkeukan
matunitara,　nitnepause,　pausenitkan
chikekkekekke　chikoarikiki.
Kipnekorka　Okikirmui　shinki ruwe　oararisam,
earkaparpe　eitumamor　noye kane
chipokonanpe　kohokushhokush,　iki aineno
tektuipok ta　kor kanchi　chioarkaye.
Shirki chiki,　shinkiekot　Samayunkur
kotetterke　kor kanchi　eshikari　shinen ne kane

疲れてたおれました.
そのさまを見て私はひそかに笑いを浮べました.
それからまた,精を出して
軽い足取りで腰やわらかにかけまわり
重い調子で木片をポキリポキリと折る様に叫び
暴風の魔を声援しました.
オキキリムイとシュプンラムカと二人で
励まし合いながら勇ましく舟を漕いで

居りましたが,と,ある時シュプンラムカは
手の上から手の下から血が流れて
疲れてたおれてしまいました,それを見て
ひそかに私は笑いました.
それからまた軽い足取りで腰やわらかに
飛びまわり重い調子でかたい木片を
ポキリポキリと折る様に叫び精を出しました.
けれども,オキキリムイは疲れた様子は少しも無い.
一枚の薄物を体にまとい,
舟を漕いでいます,そのうちに
手の下でその持っていた舵が折れてしまいました.
すると,疲れ死んだサマユンクルに
躍りかかりその持っている舵をもぎとってたった一人で

chipokonanpe　kohokushhokush.
Chinukatchiki,　chikor wenpuri　unkosankosan,

nitnepause　pausenitkan　chikekkekekke,
koshneterke　chikoikkeukan　matunitara,
arikikiash　shirwen nitnei　sermaka chiush.
Ki aineno　Samayunkur　kor kanchi nakka
chioarkaye,　Okikirmui　Shupunramka
kotetterke,　kor kanchi　eshikari,
tumashnu assap　pekotopo　pekorewe.
Kipne korka　nea kanchi ka　ruyanpe kaye,
tata otta　Okikirmui　chiposhketa
chiashtushtekka,　yupke rera　rera tumta
sennekashui　ainupito　unnukar kuni
chiramu awa　moshiresani　kamuiesani
tapkashikun　chishiknoshkike　enitomomo,
ipor kon ruwe　pirka rokpe　kor wenpuri
enantuika　eparsere,　pushtotta[2] oro　oiki kane
hemanta sanke　inkarash awa　noyaponku

(2)　pushtotta……鞄の様な形のもので，海猟に出かける時に火道具，
　　薬類，その他細々の必要品を入れて持ってゆくもの．同じ用途のもの
　　で piuchiop, karop などがありますが，蒲（がま），アッシ織などで作ります

舟を漕ぎました.
私はそれを見ると，持前の悪い心がむらむらと出て
　　来ました.
重い調子でかたい木片をポキリポキリと折る様に叫び
軽い足取りで腰やわらかにかけまわり
精を出して暴風の魔に声援しました.
そうしてるうちにサマユンクルの舵も
折れてしまいました. オキキリムイはシュプンラムカに
躍りかかりその舵をとって
勇ましく舟を漕ぎました.
けれども彼の舵も波に折られてしまいました.
そこで，オキキリムイは舟の中に
立ちつくして，烈しい風のうちに
まさか人間の彼が私を見つけようとは
思わなかったに，国の岬，神の岬の
上の，私の眼の央を見つめました.
今までやさしかった顔に怒りの色を
あらわして，鞄をいじっていたが
中から出したものを見ると，蓬(よもぎ)の小弓と

　　から，陸で使用します. pushtotta は熊の皮，あざらしの皮，その他
　の毛皮で製しますから水がとおらないので，海へ持って行くのです.

noyaponai sanasanke.

Shirki chiki raukimina chiuweshuye,

"Ainupito nep ki ko ashtoma heki,

ene okai noyaponai[3] nep aekarpe taana."

yainuash kane tapan esannot

moshiresani kamuiesani tapkashike

too heperai too hepashi koshneterke

chikoikkeukan matunitara, nitnepause

pausenitkan chikekkekekke,

shirwen nitnei chikopuntek.

Rapoketa Okikirmui eak ponai ek aine

chiokshutuhu kororkosanu.

Pateknetek nekonneya chieramishkare.

Hunakpaketa yaishikarunash inkarash awa

pirka shirpirka chishireanu, atuiso kashi

teshnatara, Okikirmui kon repachip oararisam.

Nekonne humi ne nankora, chikankitaye wano

chipokishirke pakno tatkararse shikopayar.

Sennekashui ainupito eak ponai

(3) noya ai……蓬の矢，蓬はアイヌの尊ぶ草です．蓬の矢で打たれる
   と，浮ぶ事が出来ないから悪魔の最も恐れるものだと言うので，遠出

蓬の小矢を取り出しました.
それを見てひそかに私は笑いました.
「人間なぞ何をしたって，恐い事があるものか,
あんな蓬の小矢は何に使うものだろう.」
と思ってこの岬
国の岬，神の岬の上を
ずーっと上へずーっと下へ軽い足取りで
腰やわらかにかけまわり，重い調子で
かたい木片をポキリポキリと折る様にパウ，パウと叫び
暴風の魔をほめたたえました.
その中にオキキリムイの射放した矢が飛んで来たが
ちょうど私の襟首<ruby>襟首<rt>えりくび</rt></ruby>のところへ突きささりました.
それっきりあとどうなったか解らなくなって
　　　　しまいました.
ふと気がついて見ると
大そう好いお天気で，海の上は
広々として，オキキリムイの漁舟もなにもありません.
どうした事か私は頭のさきから
足のさきまで雁皮<ruby>雁皮<rt>がんぴ</rt></ruby>が燃え縮む様に痛みます.
まさか人間の射た小さい矢がこんなに私を苦しめ

　するとき必要品の一つに数えられます.

  ene uniyuninka kuni
chiramuai orowano hochikachikaash,

tapan esannot moshiresani kamuiesani
tapkashike too heperai too hepashi
  rayayaiseash kor
raiyepashash, tokap hene kunne hene
  shiknuash ranke
raiash ranke ki aineno nekonneya
chieramishkare.
Hunakpaketa yaishikarunash inkarash awa,
poro shitunpe ashurpeutut ta okayash kane
  okayash.
Tutko pakno shiran awa Okikirmui
  kamuishiri ne
arki wa sancha otta mina kane ene itaki : ——
"Iramashire moshiresani kamuiesani
tapkashike epunkine shitunpe kamui,
pirkapuri kamuipuri kor akushu
rai neyakka katupirkano ki ruwe okai."
itak kane, chisapaha uina wa,
unchisehe ta ampa wa, chikannanotkewe

ようとは思わなかったのに，それから手足をもがき
　　苦しみ
この岬，国の岬，神の岬
の上を，ずーっと上へ，ずーっと下へ泣き叫びながら

もがき苦しみ，昼でも夜でも生きたり

死んだり，している中に，どうしたか
わからなくなりました．
ふと気がついて見ると，
大きな黒狐の耳と耳との間に私は居りました．

二日ほどたった時，オキキリムイが神様の様な様子で

やって来て，ニコニコ笑って言うことには，
「まあ見ばのよい事，国の岬，神の岬
の上を見守る黒狐の神様は，
善い心，神の心を持っていたから
死にざまの見ばのよい死方をしたのですね．」
言いながら私の頭を取って，
自分の家へ持って行き私の上顎の骨を

yaikota[4] kor   ashinruikkeu ne kar,
   chipoknanotkewe
machihi kor   ashinruikkeu ne kar wa,
chinetopake anak   neeno   toikomunin wa isam.
Orowano   kunne hene   tokap hene
shihurakowenash   ki aineno   toi rai wen rai
chiki.
Pashtakamui   chine ruwe ka   somone akorka,
arwenpuri   chikora kushu   nepneushi ka
chierampeutek   wen rai   chiki shiri tapanna.
Tewano okai   chironnuputar,   itekki
wenpuri kor yan.

                    ari chironnup kamui yaieyukar.

---

(4)　もとは男の便所と女の便所は別になっていました．ashinru も
esoineru も同じく便所の事．
狐の中で黒狐は最も尊いものだとしています．海の中に突き出ている
岬は大概黒狐の所領で，黒狐はよっぽどの大へんがなければ，人に声
をきかせないと申します．
Okikurumi（Okikirmui）と Samayunkur と Shupunramka とはいと

自分の便所のどだいとし，私の下顎を

その妻の便所の礎として，
私のからだはそのまま土と共に腐ってしまいました．
それから夜でも昼でも
悪い臭気に苦しんでいる中に私はつまらない死方，悪い
死方をしました．
ただの身分の軽い神でもなかったのですが
大変な悪い心を私は持っていた為なんにも
ならない，悪い死方を私はしたのですから
これからの狐たちよ，決して
悪い心を持ちなさるな．
　　　　　　　　　　　　　　　と狐の神様が物語りました．

こ同士で，Shupunramka は一ばん年上で Okikirmui は一ばん年下
だと言います．Shupunramka は温和な人で内気ですからなにも話が
ありませんが，Samayunkur は短気で，智恵が浅く，あわて者で，根
性が悪い弱虫で，Okikirmui は神の様に智恵があり，情深く，勇気
のあるえらい人だと言うので，その物語りは無限というほど沢山あり
ます．

Isepo yaieyukar, "Sampaya terke"

Sampaya terke
Tu pinnai kama re pinnai kama terkeash kane
shinotash kor yupinekur oshi ekimun payeash.
Keshtoanko yupinekur oshi payeash
    ingarash ko,
Ainupito kuare[1] wa anko, ne ku yupinekur
hechawere ranke, newaanbe
    chiemina kor patek
okayashpe nekushu, tananto shui
payeash wa ingarash awa, sennekashui
shiran kuni chiramuai
yupinekur kuorokush wa rayaiyaise koran.
Chiehomatu yupinekur samaketa
terkeash wa payeash awa, yupinekur
chish turano ene itaki : ——
"Ingarkusu chiakinekur, tantewano
ehoyupu wa eoman wa
akor kotan kotanoshmakta eshirepa chiki
'Yupinekur kuorokush na, hu ohohoi !' ari

(1) アマッポ(弩)すなわち「仕掛け弓」を仕掛ける事.

兎が自ら歌った謡「サンパヤ テレケ」

サンパヤ テレケ
二つの谷，三つの谷を飛び越え飛び越え
遊びながら兄様のあとをしたって山へ行きました．
毎日毎日兄様のあとへ行って見ると

人間が弩を仕掛けて置いてあるとその弩を兄様が
こわしてしまう，それを私は笑うのを

常としていたのでこの日また
行って見たら，ちっとも
思いがけない
兄様が弩にかかって泣き叫んでいる．
私はビックリして，兄様のそばへ
飛んで行ったら兄様は
泣きながら言うことには，
「これ弟よ，今これから
お前は走って行って
私たちの村の後へ着いたら
兄様が弩にかかったよ──，フオホホーイと

ehotuipa kushnena."
hawash chiki,
chieesekur echiu kane, orowano
tu pinnai kama re pinnai kama terkeash kane
shinotash kor sapash aine,
chikor kotan kotanoshmake chikoshirepa.
Otta eashir yupinekur unuitekai
chieshikarun, tanrui hotuye chiki kushne awa
yupinekur nekontapne unuitek awa
oar chioira. Chiashtushtekkaash
chieyaishikarunka, kipnekorka oar chioira.
Orowano hetopo shui
tu pinnai kama re pinnai kama
horkaterke horkatapkar chiki kane,
yupinekur ottaani un arkiash wa
ingarash awa nepka isam.
Yupinekur ouse kemi shirush kane shiran.
    (ari anko oyakta terke)
"Ketka woiwoi ketka, ketka woi ketka."
keshtoanko kimta payeash,
Ainupito arewaan ku chihechawere,
newaanbe chiemina kor patek okayash awa

大声でよぶのだよ.」
私はきいて
ハイ，ハイ，と返辞をして，それから
二つの谷，三つの谷飛び越え飛び越え
遊びながら来て
私たちの村の村後へ着きました.
そこではじめて兄様が私を使いによこしたことを
思い出しました，私は大声で叫び声を挙げようとした
が，兄様が何を言って私を使によこしてあったのか
すっかり私は忘れていました．そこに立ちつくして
思い出そうとしたがどうしてもだめだ.
それからまた
二つの谷を越え三つの谷を越え
後へ逆飛び逆躍びしながら
兄様のいる所へ来て
見ると誰もいない.
兄様の血だけがそこらに附いていた.
　　　（ここまでで話は外へ飛ぶ）
ケトカ　ウォイウォイ　ケトカ，ケトカ　ウォイ　ケトカ
毎日毎日私は山へ行って
人間が弩を仕掛けてあるのをこわして
それを面白がるのが常であった所が

shineanta shui, neaita ku aare kane
shiran kiko, utorsamata pon noyaku
aare kane shiran,
chinukar chiki
"Eneokaipe nep aekarpe tan ?"
yainuash chiemina rushui kushu
ponno chikeretek, nani kiraash kusu
ikichiash awa sennekashui shirki kuni
chiramuai, nea ku oro chioshma humi
chimonetoko rorkosanu.
Kiraash kushu yayehotuririash ko
poo yupkeno aunnumba enewa poka
ikichiashi ka isam kusu chishash kor
okayash awa unsamata hemantaanpe
chitursere, ingarash awa, chiakinekur
ne kanean. Chienupetne wa chiutarihi
chikoashuranure chiuitek awa
orowano chitere ikeka, nep humi ka
     oararisam.
Chishash kor okayash awa, unsamata
ainukurmam chishipushure. Ingarash awa
kamuishirine an ainu okkaipo

ある日また，前の所に弩が仕掛けて
あると，その側に小さい蓬の弩が
仕掛けてある，
私はそれを見ると
「こんな物，何にする物だろう.」
と思っておかしいので
ちょとそれに触って見た，直ぐに逃げようと
したら，思いがけ
なく，その弩にいやという程
はまってしまった.
逃げようともがけば
もがくほど，強くしめられるのでどうする事も
出来ないので，私は泣いて
いると，私の側へ何だか
飛んで来たので見るとそれは私の弟
であった. 私はよろこんで，私たちの一族のものに
この事を知らせる様に言いつけてやったが
それからいくら待っても何の音もない.

私は泣いていると，私の側へ
人の影があらわれた. 見ると，
神の様な美しい人間の若者

sancha otta mina kane, unuina wa
hunakta unani. Ingarash awa
poro chise upshoroho kamuikorpe
chieshikte kane   shiran.
Nea okkaipo apeare wa,
tanporo shu hoka otte, sosamotpe[2] etaye wa,
chinetopake rush turano taukitauki
shuoro eshikte, orowano shuchorpoke eusheush
ape are. Nekonaka ikichiash wa
kiraashrushui kusu ainu okkaipo shikuturu
chitushmak korka ainu okkaipo unoyakun
inkar shiri oarisam.
"Shu pop wa chiash yakun, nepneushi ka
chierampeutek toi rai wen rai
    chiki etokush." ari
yainuash kane, ainu okkaipo shikuturu
chitushmak aine, hunakpaketa,
shine kamahau ne chiyaikattek,
rikun shupa chiyaikopoye, shuparurkehe
chikohemeshu, harkisotta terkeashtek,

(2) 刀剣．これは戦争の時に使う刀剣とは違うので，ふだん家の右座
    の宝物の積んである上に吊してあるのがそれです．戦争の時には使い

ニコニコして，私を取って，

どこかへ持って行った．見ると

大きな家の中が神の宝物で

一ぱいになっている．

彼の若者は火を焚いて，

大きな鍋を火にかけて，掛けてある刀を引き抜いて

私のからだを皮のままブツブツに切って

鍋一ぱいに入れそれから鍋の下へ頭を突き入れ突き入れ

火を焚きつけ出した．どうかして

逃げたいので私は人間の若者の隙を

ねらうけれども，人間の若者はちっとも私から

眼をはなさない．

「鍋が煮え立って私が煮えてしまったら，なんにも

ならないつまらない死方，悪い死方をしなければ

　　　ならない.」と

思って人間の若者の油断を

ねらってねらって，やっとの事

一片の肉に自分を化らして

立ち上る湯気に身を交えて鍋の縁に

上り，左の座へ飛び下りると直ぐに

　ませんが，uniwente などのときには使います.

soyo terkeash,　chish turano,
terkeash kane pashash kane,　kiraash aine
chiunchisehe　chikoshirepa,
eashka yaikahumshuash.
Shioka un　inkarash awa,
yayan ainu　use okkaipo　nekuni patek
chiramuap,　Okikirmui　kamui rametok
ne ruwe ne awan.
Yayan ainupito　are ku ne kuni　chiramu wa,
keshtokeshto　iraraash wa,　Okikirmui
rushka kusu　noyaponku ari
unraike kusu　ikia korka,　chiokai ka
pashta kamui　chine somoki ko,　toi rai
　　　wen rai
chiki yakne　chiutarihi ka,　yaierampeutek kuni
chierampoken　unekarkar kusu,
renkaine　kiraash yakka　somo unnoshpa
ruwe ne awan.
Eepakita,　hoshkino anak,　isepo anak
yuk pakno　netopake rupnep　nea korka,
tankorachi an　wen irara　chiki kusu
Okikirmui　shinekamahawe pakno

戸外へ飛び出した，泣きながら
飛んで息を切らして逃げて来て
私の家へ着いて
ほんとうにあぶないことであったと胸撫で下した．
後ふりかえって見ると，
ただの人間，ただの若者とばかり
思っていたのはオキキリムイ，神の様な強い方
なのでありました．
ただの人間が仕掛けた弩だと思って
毎日毎日悪戯をしたのをオキキリムイ
は大そう怒って蓬の小弩で
私を殺そうとしたのだが，私も
ただの身分の軽い神でもないのに，つまらない死方，悪
　　い死方
をしたら，私の親類のもの共も，困り惑うであろう
事を不憫に思って下されて
おかげで，私が逃げても追いかけなかった
のでありました．
それから，前には，兎は
鹿ほども体の大きなものであったが，
この様な悪戯を私がしたために
オキキリムイの一つの肉片ほど小さくなったのです．

okayash ruwe ne.

Tewano okai autarihi, opittano, enepakno
okai kunii ne nangor.

Tewanookai Isepoutar, itekki irara yan.

ari Isepotono poutari pashkuma wa onne.

これからの私たちの仲間はみんなこの位の
からだになるのであろう.
これからの兎たちよ,決していたずらをしなさるな.
　　と,兎の首領が子供等を教えて死にました.

Nitatorunpe yaieyukar, "Harit kunna"

Harit kunna
Shineanto ta shirpirka kusu
chikor nitat otta chishikihi newa
     chiparoho patek
chietukka wa, inkarash kane okayash awa
to opishun ainukutkesh sarasara.
Inkarash awa tu okkaipo usetur ka
     rarpa kane.
Hoshki ekpe, rametoksone rametokipor
eipottumu niunatara, kamuishirine okaiko,
iyoshi ekpe chinukar ko, katuhu ka wenawena
rerek okkayo newa, hemantaokaipe eukoitakkor
arki aine, chikor nitat samakehe kushpa,
unpekano arki aike, iyoshino ek rerek ainu
ashash kane iki etuhu kishma,
"Hm, shirun nitat wen nitat,
     kotchake akush awa
ichakkere neptapteta wen huraha okaipeneya ?"
ari hawean.
Inu newa chikip ne korka, okayash humi ka

谷地の魔神が自ら歌った謠「ハリツ クンナ」

ハリツ クンナ
ある日に好いお天気なので
私の谷地に眼と口とだけ

出して見ていたところが
ずっと浜の方から人の話し声がきこえて来た.
見ると，二人の若者が連れだって来た.

先に来た者は勇者らしく勇者の品を
そなえて，神の様に美しいが
後から来た者を見ると，様子の悪い
顔色の悪い男で，何か話し合いながら
やって来たが私の谷地の側を通り
ちょうど私の前へ来ると，あとから来た顔色の悪い男が
立ち止り立ち止り自分の鼻をおおい
「おお臭い，いやな谷地，悪い谷地の前を通ったら

まあ汚い，何だろうこんなに臭いのは.」
と言った.
私はただ聞いたばかりだけれど自分の居るか居ないかも

chierampeutek　turushkinrane　unkohetari.
Yachitum wa　soyoterkeash,　terkeashko
toi yasashke　toi pererke.　Chinotsephumi
taunatara,　nerokpe　chitoikonoshpa,　ikiash awa,
hoshki ekpe　weninkarpo　kitek
chepshikiru　ekannayukar,　rerek ainu

tempokihi kush wa,　too hoshkino　kirawa isam.
Rerek ainu　tutem retem　chinoshpa ko
chioshikoni,　kitaina wano　chioanruki.
Tataotta　nea okkayo　chitoikonoshpa,
　　sapash aine
ainu kotan　poro kotan　oshmakehe　akoshirepa.
Ingarash awa　unetunankar,
Ape Huchi　Kamui Huchi　hure kosonte
　　iwan kosonte
kokutkor kane,　iwan kosonte　opannere,
hure kuwa　ekuwakor kane,　unteksamta
　　chitursere.
"Usainetapshui　nep ekar kusu　tan ainu kotan
ekosan shiri tan,　hetak hoshipi,　hetak hoshipi！"
itak kane　hure kuwa　kani kuwa　unkurkashi

わからぬほど腹が立った．
泥の中から飛び出した．私が飛び上ると
地が裂け地が破れる．牙を
鳴らしながら，彼等を強く追っかけたところが
先に来た者は，それと見るや
魚がクルリとあとへかえる様に引かえして顔色の
　　　悪い男の
わきの下をくぐりずーっと逃げてしまった．
青い男を二間三間追っかけると
直ぐ追いついて頭から呑んでしまった．
そこで今度は彼の男をありったけの速力で追っかけて
　　　来て
人間の村，大きな村の後へ着いた．
見るとむこうから
火の老女，神の老女があかい着物，六枚の着物に

帯をしめ，六枚の着物を羽織って
あかい杖をついて私の側へ飛んで来た．

「これはこれは，お前は何しにこのアイヌ村へ
来るのか，さあお帰り，さあお帰り．」
言いながら，あかい杖，かねの杖をふり上げて私を

eshitaiki, kuwatuika wa otuwennui orewennui
unkurkashi wenaptoshinne chiranaranke.
Kipne korka senneponno chiekottanu,
chinotsephum taunatara kor, nea ainu
chitoikonoshpa ko nea ainu, kotantum peka
pashno karip shikopayar. Oshi terkeash ko
toi yasashke toi pererke. Kotanutur haushitaiki
mattek ampap, potek ampap, urayayaisere,
ukirarep shirpop apkor hawash korka,

senneponno chiekottanu, wen toiupun
chishiokote, Kamui Huchi unteksama
　　ehoyupu ko
wen nuiikir unenkata patkepatke.
Rapokita nea okkayo shine chise chiseupshor
korawoshma hontomota soyoterke.
Inkarash awa, noya ponku noya ponai
　　uweunu
unetunankar sancha otta minakane yokoyoko,
shirki chiki chiemina rushui.
"Enean pon noyaai neike auninpe tan ?" ari
yainuash kane chinotsephum taunatara,

たたくと，杖から焔が
私の上へ雨の様に降って来る．
けれども私はちっとも構わず，
牙打ち鳴らしながら彼の男を
追っかけると，彼の男は村の中を
よくまわる環の様に走って行く．そのあとを飛んで
行くと，大地が裂け大地が破れる．村中は大さわぎ
妻の手を引く者，子の手を引く者，泣き叫び
逃げゆくもの，煮えくりかえるようなありさま，
　　　けれども
私は少しも構わず，土吹雪
をたてる，火の老女神は私の側を走って来ると

大へんな焔が，私の上に飛び交う．
その中に，彼の男は一軒の家に
飛び込むと直ぐにまた飛び出した．
見ると，蓬の小弓に蓬の小矢をつがえて

むこうから，ニコニコして，私をねらっている．
それを見て私は可笑しく思った．
「あんな小さな蓬の矢，何で人が苦しむものか．」と
思いながら私は牙を打ち鳴らして，

kitaina wano chiruki kushu ikichiash awa,
rapoketa nea okkayo chiokshutu peka
unshirkochotcha, pateknetek nekonneya
chieramishkare.
Hunakpaketa yaishikarunash, ingarash awa
poro chatai ashurpeututta okayash kane okayash.
Kotankor utar uwekarpa, nea chinoshpa okkaipo
aripawekur tenke kane, chiraikewehe ukotata,
shine aniun rurpa wa uhuika wa nepashuhu
kimuniwa iwaoshmake kochari wa isam.
Tap eashir ingarash ko, oyachiki, yayan ainu
useokkaipo ne kuni chiramu awa,
Okikirmui kamui rametok ne awan.
Ashtoma wen kamui nitne kamui chine kiwa,
ainu kotan koehangeno okayash wa,
Okikirmui kotan eyam kusu, unshimemokka
unshinoshpare wa, noyaai ari unraike ruwe
nerokokai. Orowa, hoskino chioanruki
rerekainu anak, ainune kuni chiramu awa,
oyachiki Okikirmui eosomap ainune kar wa,
tura wa ek ruwe ne awan.
Nitne kamui chinea kushu, tane anakne

頭から呑もうとしたら

その時彼の男は私の首ッ玉を

したたかに射た．それっきりどうしたか

わからなくなってしまった．

ふと気がついて見たところが

大きな竜の耳と耳の間に私はいた．

村の人々が集って，彼の私が追っかけた若者が

大声で指図をして，私の屍体をみんな細かに刻み

一つ所へ運んで焼いてその灰を

山の岩の岩の後へ捨ててしまった．

今になってはじめて見ると，それは，ただの人間

ただの若者だと思ったのは

オキキリムイ，神の勇者であった．

恐しい悪い神，悪魔神，私はそれであって

人間の村の近くにいるので，

オキキリムイは村の為を思って，私をおこらせ

自分を追いかけさせて，蓬の矢で私を殺したので

あった．それから，先に私が呑んでしまった

青い男は，人間だと思ったのだったが

それは，オキキリムイがその放糞を人に作り，

それを連れて来たのであった．

私は魔神であったから今はもう

poknamoshir arwen moshir un aunomante kusu,
tewano anak ainu moshir nep akoeyampe ka
isam, aeerannakpe ka isam nankor.
Ashtoma nitne kamui chinea korka,
shine ainupito chinupurkashure unekarkar,
tane anakne toi rai wen rai chiki shiri tapan.

    ari nitatorun nitne kamui yayeyukar.

地獄のおそろしい悪い国にやられたのだから
これからは，人間の国には，なんの危険も
ない，邪魔ものもないであろう．
私は恐しい魔神であったけれども，
一人の人間の計略にまけて
今はもう，つまらない死方，悪い死方をするのです．
　　　と谷地の魔神が物語りました．

Pon Horkeukamui yaieyukar,
"Hotenao"

Hotenao
Shineantota nishmuash kusu pishta sapash,
shinotash kor okayash awa, shine ponrupneainu
ek koran wakusu, hepashi san ko
  hepashi chietushmak,
heperai ek ko heperai chietushmak.
Ikichiash awa, hepashi iwanshui
heperai iwanshui ne ita ponrupneainu
kor wenpuri enantuika eparsere, eneitaki : ——
"Pii tuntun, pii tuntun!
tan hekachi wen hekachi eiki chiki,
tan esannot teeta rehe tane rehe
ukaepita eki kushnena !"
Hawash chiki chiemina kor itakash hawe
ene okai : ——
"Nennamora tan esannot teeta rehe
tane rehe erampeuteka !
Teeta anak shinnupur kusu
tapan esannot 'Kamuiesannot' ari

小狼の神が自ら歌った謡
「ホテナオ」

ホテナオ
ある日に退屈なので浜辺へ出て,
遊んでいたら一人の小男が
来ていたから,川下へ下ると
私も川下へ下り,
川上へ来ると私も川上へ行き道をさえぎった.
すると川下へ六回
川上へ六回になった時小男は
持前の癇癪を顔に表して言うことには,
「ピイピイ
この小僧め悪い小僧め,そんな事をするなら
この岬の,昔の名と今の名を
言い解いて見ろ.」
私は聞いて笑いながらいうこと
には,
「誰がこの岬の昔の名と
今の名を知らないものか!
昔は,尊いえらい神様や人間が居ったから
この岬を神の岬と

ayea korka tane anakne shirpan kusu
'Inauesannot' ari aye ruwe tashi anne!"
itakash awa ponrupneainu eneitaki : ——
"Pii tuntun, pii tuntun!
Tan hekachi, sonnohetap ehawan chiki
tapan petpo teeta rehe tane rehe
ukaepita eki kushnena."
hawash chiki itakash hawe ene okai : ——
"Nennamora tapan petpo teeta rehe
tane rehe erampeuteka!
teeta kane shinnupurita tapan petpo
'Kanchiwetunash' ari ayea korka
tane shirpan kushu 'Kanchiwemoire' ari
aye ruwe tashi anne!"
itakash awa ponrupneainu ene itaki : ——
"Pii tuntun, pii tuntun!
sonnohetapne ehawan chiki,
ushinritpita aki kushnena!"
hawash chiki itakash hawe eneokai : ——
"Nennamora eshinrichihi erampeuteka!
otteeta Okikirmui kimta oman wa,
kucha karita keneinunpe kar aike

言ったものだが，今は時代が衰えたから
御幣の岬とよんでいるのさ！」
言うと，小男の言うことには，
「ピイトン，ピイトン
この小僧め本当にお前はそういうなら
この川の前の名と今の名を
言って見ろ.」
聞くと，私の言うことには，
「誰がこの川の前の名
今の名を知らないものか！
昔，えらかった時代にはこの川を
流れの早い川と言っていたのだが
今は世が衰えているので流れの遅い川と
言っているのさ.」
言うと小男の言うことには，
「ピイトントン，ピイトントン
本当にお前そんな事を言うなら
お互の素性の解き合いをやろう.」
聞いて私の言うことには，
「誰がお前の素性を知らないものか！
大昔，オキキリムイが山へ行って
狩猟小舎を建てた時榛の木の炉縁を作ったら

ne inunpe apekar wa   sattek okere,
Okikirmui oararkehe   oterke ko   oararkehe
hotari. Newaanpe Okikirmui rushka kushu
ne inunpe   pet otta   kor wa san wa,
oshura wa   isam ruwe ne.
Orowano   ne inunbe petesoro   mom aineno,
atuioro oshma,   tu atuipenrur   re atuipenrur
chieshirkik shiri   kamuiutar   nukar wa,
aeoripak Okikirmui tekekarpe   neeno
yaierampeutek wa   mom aineno   atuikomunin

aenunuke kusu,   kamuiutar orowa
ne inumbe   cheppone akar wa
     'Inumpepecheppo' ari
arekore ruwe ne.
Awa, ne inumpepecheppo, yaishinrit
erampeutek wa   ainune yaikar wa   iki koran.
Ne inumpepecheppo   ene ruwe tashi anne."
itakash awa, pon rupneainu iporohoka
wenawena ikokanu wa an aine
"pii tuntun,   pii tuntun !
eani anak Pon Horkeusani   ene ruwe tashi

その炉縁が火に当ってからからに乾いてしまった.
オキキリムイが片方を踏むと片一方が
上る，それをオキキリムイが怒って
その炉縁を川へ持って下り
捨ててしまったのだ.
それからその炉縁は流れに沿うて流れていって
海へ出で，彼方（かなた）の海波，此方（こなた）の海波
に打ちつけられる様を神様たちが御覧になって，
敬うべきえらいオキキリムイの手作りの物がその様に
何の役にもたたず迷い流れて海水と共に腐ってしまう
　　　のは
勿体（もったい）ない事だから神様たちから
その炉縁は魚にされて，
炉縁魚と
名づけられたのだ.
ところがその炉縁魚は，自分の素性が
わからないので，人にばけてうろついている.
その炉縁魚がお前なのさ.」
言うと，小男は顔色を
変え変え聞いていたが
「ピイトントン，ピイトントン！
お前は，小さい，狼の子なの

anne."
itakkeseta atui orun terke humi chopkosanu,
oshi inkarash awa, shine hure cheppo
honoyanoya wa too herepashi
oman wa isam.

ari pon Horkeukamui isoitak.

さ.」
言い終ると直ぐに海へパチャンと飛び込んだ.
あと見送ると一つの赤い魚が
尾鰭を動かしてずーっと沖へ
行ってしまった.
　　と, 幼い狼の神様が物語りました.

Kamuichikap Kamui yaieyukar, "Konkuwa"

Konkuwa
"Teeta kane itakash hawe karinbaunku
kunum noshki chauchawatki korachitapne
itakash hawe okai awa,
tane rettekash tane onneash ki humi okai.
Newaneyakka nenkatausa pawetokkor wa,
sonko otta yayotuwaship an yakne,
kanto orun sonkoemko eiwansonko
chieuitekkarokai." ari
kutoshintoko putakashike chioreporep kor
itakash awa, apa otta kanakankunip
"Nen unmoshma sonko otta pawetokkor wa
yayotuwashi ya." ari, itak wakusu
inkarash awa Pashkurokkayo ne kane an.
Chiahunge wa, orowano kutoshintoko
puta kashike chioreporep kor
Pashkurokkayo chiuitek kushu,
ne sonko chiye aine rerko shiran,
resonko patek chiyerapokta ingarash awa,

梟の神が自ら歌った謡
「コンクワ」

コンクワ
「昔私の物言う時は桜皮を巻いた弓の
弓把の央を鳴り渡らす如くに
言ったのであったが,
今は衰え年老いてしまった事よ.
けれども誰か雄弁で
使者としての自信を持ってる者があったら,
天国へ五ツ半の談判
を言いつけてやりたいものだ.」と
たがつきのシントコの蓋の上をたたきながら
私は言った,ところが入口で誰かが
「私をおいて誰が使者として雄弁で
自信のあるものがあるでしょう.」というので
見ると鴉の若者であった.
私は家に入れて,それから,たがつきのシントコの
蓋の上をたたきながら
鴉の若者を使者にたてる為
その談判を言いきかせて三日たって
三つ目の談判を話しながら見ると

Pashkurokkayo inumbeoshmak
koherachichi. Shirki chiki wenkinrane
unkohetari Pashkurokkayo
chirapkokikkik, chiraike wa isam.
Orowano shui kutoshintoko puta kashike
chiorep kor,
"Nenkatausa sonko otta yayotuwaship
an yakne kanto orun sonkoemko eiwansonko
chieuitekkar okai." ari
itakash awa, hemanta shui apa orun
"Nen unmoshma pawetokkor wa
kanto orun auiteknoine anpe okai hawe."
itak wakushu, ingarash awa Metoteyami
ne kane an.
Chiahunke wa orowano shui
kutoshintoko puta kashike chiorep kor
sonkoemko eiwansonko chiye wa
inererko shiran, inesonko chiyerapokta
metoteyami inumpe oshmak koherachichi.
Chirushka kushu Metoteyami chirapkokikkik
chiraike wa isam.
Orowano shui kutoshintoko puta kashike

鴉の若者は炉縁の後で
居眠りをしている，それを見ると，癪に
さわったので鴉の若者を
羽ぐるみ引っぱたいて殺してしまった．
それからまたたがつきのシントコの蓋の上を
たたきながら
「誰か使者として自信のある者が
あれば天国へ五ツ半の
談判を言いつけてやりたい．」と
言うと，誰かがまた入口へ
「誰が私をおいて，雄弁で
天国へ使者に立つほどの者がありましょう．」
と言うので見ると山のかけす
であった．
家へ入れてそれからまた
たがつきのシントコの蓋の上をたたきながら
五ツ半の談判を話して
四日たって，四つの用向を言っているうちに
山のかけすは炉縁の後で居眠りをしている．
私は腹が立って山のかけすを羽ぐるみひっぱたいて
殺してしまった．
それからまたたがつきのシントコの蓋の上を

chiorep kane,

"Nenkatausa pawetokkor wa sonko otta
yayotuwaship an yakne kanto orun
sonkoemko eiwansonko chikore okai."
itakash aike, kanakankunip
oripak kane shiaworaye, inkarash awa
Katkenokkayo[1] kamuishirine
harkisone ehorari. Shirki chiki,
kutoshintoko puta kashike chiorep kane,
sonkoemko eiwansonko kunne hene
tokap hene chiecharanke. Inkarash ko
Katkenokkayo nepechiu ruwe oarisamno
ikokanu wa okai aine, tokaprerko kunnererko
chiukopishki iwanrerko ne ita
chiyeokere ko nani rikunshuika
chioposore, kanto orun omanwa isam.
Ne sonko ikkewe anak, ainumoshir
kemush wa ainupitoutar tane anakne
kemekot kushki. Nepikkeune eneshirki shirineya
inkarash awa, kanto otta
Yukkor Kamui newa Chepkor Kamui

(1) katken……川ガラス. 昔から大そういい鳥として尊ばれる鳥です.

たたきながら,
「誰か雄弁で使者として
自信のある者があれば, 天国へ
五ツ半の談判を持たせてやりたい.」
と言うと, 誰かが
慎(つつしみ)深い態度ではいって来たので見ると
川ガラスの若者, 美しい様子で
左の座に坐った. それで私は
たがつきのシントコの蓋の上をたたきながら
五ツ半の用件を夜でも
昼でも言い続けた. 見れば
川ガラスの若者, 何も疲れた様子もなく
聞いていて昼と夜を
数えて六日目に
私が言い終ると直ぐに天窓から
出て天国へ行ってしまった.
その談判の大むねは, 人間の世界に
饑饉があって人間たちは今にも
餓死しようとしている. どういう訳かと
見ると天国に
鹿を司る神様と魚を司る神様とが

ukoramkor wa yuk somosapte chep somosapte
ruwe ne awan kusu, kamuiutar orowa
nekona aye yakka senneponno ekottanuno
okai kusu, ainupitoutar ekimne kushu
kimta paye yakka yuk ka isam,
　　chepkoiki kushu
petotta paye yakka chep ka isam ruwe
　　ne awan.
Chinukar wa chirushka kushu kanto orun
Yukkor Kamui Chepkor Kamui
　　chiko sonkoanpa
ki ruwene.
Orowano keshtokeshto shiran aine,
kantokotor sepepatki humash aine,
kanakankunip shiaworaye. Inkarash awa
Katkenokkayo tanean pirka shioarwenrui,
rametokipor eipottumu niunatara,
itasasonko echaranke.
Kanto otta Yukkor Kamui Chepkor Kamui
tanto pakno yuk somoatte chep somoatte
ikkewe anak ainupitoutar yukkoiki ko
chikuni ari yuksapa kik, iri ko

相談をして鹿も出さず魚も出さぬことに
したからであったので，神様たちから
どんなに言われても知らぬ顔をして
いるので人間たちは猟に
山へ行っても鹿も無い，魚漁に

川へ行っても魚も無い．

私はそれを見て腹が立ったので
鹿の神，魚の神へ使者をたてた

のである．
それから幾日もたって
空の方に微かな音がきこえていたが
誰かがはいって来た．見ると
川ガラスの若者，今は前よりも美しさを増し
勇ましい気品をそなえて
返し談判を述べはじめた．
天国の鹿の神や魚の神が
今日まで鹿を出さず魚を出さなかった
理由は，人間たちが鹿を捕る時に
木で鹿の頭をたたき，皮を剝ぐと

yuksapaha   neeno kenash kata
oshurpa wa are,   chepkoiki ko
muninchikuni ari   chepsapa kik kushu,
yukutar   atushpa kane   chishkor
Yukkor Kamui   otta hoshippa,   cheputar
muninchikuni   ekupakane   Chepkor Kamui
otta hoshippa.   Yukkor Kamui Chepkor Kamui
irushka kushu   ukoramkor wa   yuk somoatte
chep somoatte   ruwe neakorka,   tantewano
ainupitoutar   yuk hene   chep hene
korkatu pirka   kusune yakun   yuk aatte
chep aatte   kikushne.   ari,   Yukkor Kamui
Chepkor Kamui   hawokai katuhu   omommomo.
Chinu orowa   Katkenokkayo otta
iramyeash wa,   inkarash awa   sonnokaun
ainupitoutar   yuk hemem   chep hemem
korkatu wen   kirokokai.
Orowa   tewano anak   iteki   neeno   ikichi kuni
ainupitoutar   mokor otta   tarap otta
chiepakashnu awa   ainupitoutar ka
ipashterampo   yaikorpare,   orowano anak
inau korachi   isapakikni   tomtekarkar

鹿の頭をそのまま山の木原に

捨ておき，魚をとると

腐れ木で魚の頭をたたいて殺すので，

鹿どもは，裸で泣きながら

鹿の神の許へ帰り，魚どもは

腐れ木をくわえて魚の神の

許へ帰る．鹿の神，魚の神は

怒って相談をし，鹿を出さず

魚を出さなかったのであった．がこののち

人間たちが鹿でも魚でも

ていねいに取扱うという事なら鹿も出す

魚も出すであろう，と鹿の神と

魚の神が言ったという事を詳しく申し立てた．

私はそれを聞いてから川ガラスの若者に

讃辞を呈して，見ると本当に

人間たちは鹿や魚を

粗末に取扱ったのであった．

それから，以後は，決してそんな事をしない様に

人間たちに，眠りの時，夢の中に

教えてやったら，人間たちも

悪かったという事に気が付き，それからは

幣の様に魚をとる道具を美しく作り

ari chepkoiki, yukkoiki ko yuksapaha ka
pirkano tomte wa inaukorpare. Kiwakushu
cheputar nupetneno pirka inau ekupa kane
Chepkor Kamui otta paye, yukutar
nupetneno ashirsapakar kane Yukkor Kamui
otta hoshippa. Newaanpe Yukkor Kamui
Chepkor Kamui enupetne kusu,
poronno chepatte, poronno yukatte.
Ainupitoutar tane anakne nep erannak
neperushui somokino okai,
chinukat chiki chieramushinne.
Chiokai anak tane onneash tane rettekash
ki wa kushu, kanto orun payeash kuni
chiramua korka, chiepunkine ainumoshir
kemush wa ainupitoutar kemekot kushki ko
chiekottanu somokino payeash ka
　　eaikap kushu,
tanepakno okayasha korka, tane anakne
nepaerannakpe ka isam kushu shinorametok
upenrametok unokaketa ainumoshir
chiepunkinere, tane kanto orun
　　payeash shiri tapan.

それで魚をとる．鹿をとったときは，鹿の頭も
きれいに飾って祭る，それで
魚たちは，よろこんで美しい御幣をくわえて
魚の神のもとに行き，鹿たちは
よろこんで新しく月代をして鹿の神
のもとに立ち帰る．それを鹿の神や
魚の神はよろこんで
沢山，魚を出し，沢山，鹿を出した．
人間たちは，今はもうなんの困る事も
ひもじい事もなく暮している，
私はそれを見て安心をした．
私は，もう年老い，衰え弱った
ので，天国へ行こうと
思っていたのだけれども，私が守護している人間の国に
饑饉があって人間たちが餓死しようとしているのに
構わずに行く事が出来ないので，

これまで居たのだけれども，今はもう
なんの気がかりも無いから，最も強い者
若い勇者を私のあとにおき人間の世を
守護させて，今天国へ行く所なのだ．

ari Kotankor Kamui kamui ekashi
isoitak orowa kanto orun oman.　ari.

本の豆知識

●和文のいろいろな書体●

書
明朝体

書
ゴシック体

教科書体

行書体
（ぎょうしょ）

宋朝体
（そうちょう）

隷書体
（れいしょ）

楷書体
（かいしょ）

勘亭流
（かんていりゅう）

岩波書店
https://www.iwanami.co.jp/

と，国の守護神なる翁神(梟)が
物語って天国へ行きました．と．

Repun Kamui yaieyukar, "Atuika
tomatomaki kuntuteashi hm hm !"

Atuika tomatomaki kuntuteashi hm hm !
Tanne yupi iwan yupi tanne sapo iwan sapo
takne yupi iwan yupi takne sapo iwan sapo
unreshpa wa okayash ko chiokai anak
ikittukari chituyeamset amset kashi
chiehorari, kepushpenuye shirkanuye
chikokipshirechiu, neambe patek
monraike ne chiki kane okayash.
Keshtoanko kunnewano chiyuputari
ikayop se wa chisautari tura soyunpa wa,
onumananko semiporkan toine kane
nepka sakno hoshippa wa, chisautari
shinki shiri shuke kiwa unkoipunpa,
okaiutar nakka ipe wa iperuwoka
　　chishiturire ko,
orowano chiyuputari aikarneap kotekkankari,
ikayop shik ko, opittano shinkipne kushu,
hotke wa etorohawe meshrototke.
Ne shimkeanko kunnenisat pekernisat

海の神が自ら歌った謡「アトイカ
トマトマキ クントテアシ フム フム！」

アトイカ　トマトマキ　クントテアシ　フム　　フム

長い兄様，六人の兄様，長い姉様，六人の姉様

短い兄様，六人の兄様，短い姉様，六人の姉様が

私を育てて居たが，私は

宝物の積んである傍に高床をしつらえ，その高床の上に

すわって鞘刻み鞘彫り

それのみを

事として暮していた．

毎日，朝になると兄様たちは

矢筒を背負って姉様たちと一しょに出て行って

暮方になると疲れた顔色で

何も持たずに帰って来て姉様たちは

疲れているのに食事拵えをし，私にお膳を出して

自分たちも食事をして食事のあとが片附くと，

それから兄様たちは矢を作るのに忙しく手を動かす．

矢筒が一ぱいになると，みんな疲れているものだから

寝ると高鼾を響かせてねむってしまう．

その次の日になるとまだ暗い中に

ehopunpa, chisautari shuke wa unkoipunpa,
opittano ipeokere ko too shui ikayop se wa
paye wa isam. Shui onumananko
semiporkan toine kane nepka sakno arki wa,
chisautari shuke, chiyuputari aikar kane
hempara nakka ikichi kor okai.
Shineantota shui chiyuputari chisautari
ikayop se wa soyunpa wa isam.
Ikorkanuye chiki kor okayash aine
amset kata hopunpaash konkani ponku
konkani ponai chiukoani, soineash wa
inkarash awa, netokurkashi teshnatara,
shiatuipa wa shiatuikesh wa humpeutar
shinotshirkonna chopopatki ko,
shiatuipata tanne sapo iwan sapo sai kar ko,

takne sapo iwan sapo sainikor un
    humpe okeupa,
tanne yupi iwan yupi takne yupi iwan yupi
sainikor un humpe ramante ko neanhumpe
chorpoke aikush enkashi aikush.
Keshtokeshto eneanikichi kikor okairuwe

みんな起きて姉様たちが食事拵えをして私に膳を出し
みんな食事が済むと，また矢筒を背負って
行ってしまう．また夕方になると
疲れた顔色で何も持たずに帰って来て
姉様たちは食事拵え，兄様たちは矢を作って，
何時《いつ》でも同じ事をしていた．
ある日にまた兄様たち姉様たちは
矢筒を背負って出て行ってしまった．
宝物の彫刻を私はしていたがやがて
高床の上に起き上り金の小弓に
金の小矢を持って外へ出て
見ると海はひろびろと凪《な》ぎて
海の東へ海の西へ鯨たちが
パチャパチャと遊んで居る．すると
海の東に長い姉様，六人の姉様が手をつらねて輪を
　　　つくると，
短い姉様，六人の姉様が，輪の中へ鯨を追い込む，

長い兄様，六人の兄様，短い兄様，六人の兄様が
輪の中へ鯨をねらい射つと，その鯨の
下を矢が通り上を矢が通る．
毎日毎日彼等はこんな事をして

nerokokai. Inkarash ko atuinoshkita
shinokorhumpe upokorhumpe heperai hepashi
shinot shiri chopopatki, chinukar wakushu
otuimashir wa konkani ponku konkani ponai
chiuweunu chitukan awa earai ari
shineikinne upokorhumpe chishirko chotcha.
Tataotta shinehumpe noshki chituye
humpearke chisautari sainikorun
chieyapkir, orowano humpearke etuhumpe
chiishpokomare, ainumoshir
kopake un yapash aine Otashut kotan
chikoshirepa, humpearke etuhumpe
kotanrakehe chikooputuye.
Taporowa atuiso kata moireherori
chikoyaikurka omakane, hoshippaash wa
arpaash awa, kanakankunip
hesehawe taknatara, unpishkani ehoyupu,
ingarash awa atuichakchak ne kane an.
Tashkan tuitui kor ene itaki : ——
"Tominkarikur Kamuikarikur Isoyankekur
kamuirametok pasekamui,
nep ekarkushu toyainuutar wenainuutar

いたのであった．見ると海の中央に
大きな鯨が親子の鯨が上へ下へ
パチャパチャと遊んでいるのが見えたので
遠い所から金の小弓に金の小矢を
番えてねらい射ったところ，一本の矢で
一度に親子の鯨を射貫いてしまった．
そこで一つの鯨のまんなかを斬って
その半分を姉様たちの輪の中へ
ほうりこんだ．それから鯨一ツ半の鯨を
尾の下にいれて人間の国に
むかって行きオタシュツ村に
着いて一ツ半の鯨を
村の浜へ押し上げてやった．
それから海の上にゆっくりと
游いで帰って
来たところが，誰かが
息を切らしてその側をはしるものがあるので
見ると，海のごめであった．
息をきらしながら言うことには，
「トミンカリクル　カムイカリクル　イソヤンケクル
勇ましい神様，大神様，
あなたはなんの為に，卑しい人間共，悪い人間共に

kuntuiso ekoyanke ruwetan.
Toyainuutar wenainuutar mukar ari
iyoppe ari kuntuiso taukitauki toppatoppa
keurekor okaina, kamuirametok
pasekamui keke hetak kuntuiso
okaetaye yan. Tepeshkeko iso ayanke yakka
toyainuutar wenainuutar
eyairaike ka somokino ene ikichii tan."
hawokai chiki chiemina, itakash hawe
naikosanu, ene okai : ──
"Ainupitoutar chikorparep ne kushu
tane anakne korpe newa anpe ainupitoutar
yaikota korpe iyoppe ari hene mukar ari hene
tokpatokpa meshpameshpa nekona hene
ene kanrushuii nepkor kar wa epa ko
nekonne hawe ?" itakash awa
atuichakchak eramuka patek kane okai korka,
senne ponno chiekottanu atuiso kata
moireherori chikoyaikurka oma kane
tane chupahun kotpoketa chikor atui
chikoshirepa. Inkarash awa
tunikashma wanchiyupi tunikashma

大きな海幸をおやりになったのです.
卑しい人間共,悪い人間共は,斧もて
鎌をもて大きな海幸をブツブツ切ったり突っついたり
削り取っています,勇ましい神様
大神様さあ早く大海幸を
お取り返しなさいませ.あんなに沢山,海幸をおやりに
なっても卑しい人間たち悪い人間たちは
有難いとも思わずこんな事をします.」
と言うので私は笑って言う
ことには,
「私は人間たちに呉れてやったものだから
今はもう自分の物だから,人間たちが
自分の持物を鎌でつつこうが斧で
削ろうがどうでも
自分たちの自由に食べたらいいではないか
それがどうなのだ.」と言うと
海のごめは所在無げにしているけれども
私はそれを少しも構わず海の上を
ゆっくりとおよいで
もう日が暮れようとしている時に,私の海へ
着いた.見ると
十二人の兄様,十二人の

wanchisaha nea humpearke nimpakoyaikush
ukohayashi   turpa kane,
shiatuipa ta ukoyaeramushitne kor okai.
Shiyorokeutum   chiyaikore.
Senne chiekottanu   chiunchisehe
chikohekomo, amsetkashi chiehorari.
Taporowa shioka un ainu moshir chikohosari
inkarash awa, chiyankea humpearke
etuhumpe okarino nishpautar
katkematutar ushiyukko turpa kane
isoetapkar isoerimse, makunhunki
hunki kata okitarunpe sohonewa
kashike ta Otashut kotan kotankornishpa
iwan kosonte kokutkor iwan kosonte
opannere, kamuipaunpe ekashpaunpe
kimuirarire kamuiranketam shitomushi
kamuishirine tekrikikur puni kane
onkami koran. Ainupitoutar chishturano
isoenupetne kor okai.
Neike tapne atuichakchak ainupitoutar
mukar ari iyoppe ari chiyankehumpe
tokpatokpa ari hawokai awa,

姉様は，彼の半分の鯨をはこび
きれなくてみんなで掛声高く
海の東に，グズグズしている．
私は実にあきれてしまった．
私はそれに構わずに家へ
帰り，高床の上にすわった．
そこで後ふりかえって人間の世界の方を
見ると，私が打ち上げた一ツ
半の鯨のまわりをとりまいてりっぱな男たちや
りっぱな女たちが盛装して
海幸をば喜び舞い海幸をば歓び躍り，後の砂丘
の上にはりっぱな敷物が敷かれて
その上にオタシュツ村の村長が
六枚の着物に帯を束ね，六枚の着物を
羽織って，りっぱな神の冠，先祖の冠を
頭に冠り，神授の剣を腰に佩き
神の様に美しい様子で手を高くさし上げ
礼拝をしている．人間たちは泣いて
海幸をよろこんでいる．
何をごめが人間たちが
斧で鎌で私の押し上げた鯨を
突っついていると言ったが，

kotankor nishpa hemem
kotankorutar, hushkotoi wano
ikorsokkarne kor kamui posomi sapte wa
ari icha wa rurpa kor okai.
Orowano chiyuputari chisautari arkishiri
oararisam.
Tutko rerko shiran awa purai orun
chishiksama chiikurure, tampe kusu
ingarash awa, rorunpurai purai kata
kani tuki kampashuikan momnatara,
sakeo kane kashiketa
kikeushpashui[1] an kane shiran ko,
hoshipi ranke sonkoye hawe eneokai : ——
"Chiokai anak Otashutunkur chine wa
oripakash yakka pashuiepuni aki shirinena." ari
Otashut kotan kotankor nishpa kor utari
opittano kotchakene unkoyairaike katuhu
omommomo,
"Tominkarikur Kamuikarikur Isoyankekur
pase kamui kamui rametok somooyape

(1) 御幣で飾りをつけたものであって，神様にお神酒を上げる時に使
   います．この kike-ush-pashui は人間の代理を勤めて，人間が神様に

村長をはじめ
村民は，昔から
宝物の最も尊いものとしている神剣を取り出して
それで肉を斬って搬んでいる.
それから，私の兄様たち姉様たちは帰って来る
様子もない.
二日三日たった時，窓の方に
何か見える様だ，それで
振りかえって見て見ると，東の窓の上に
かねの盃にあふれる程
酒がはいっていてその上に
御幣を取りつけた酒箸が載っていて,
行きつ戻りつ，使者としての口上を述べて言うには,
「私はオタシュツ村の人で
畏れ多い事ながらおみきを差し上げます.」と
オタシュツ村の村長が村民
一同を代表に私に礼をのべる
次第をくわしく話し,
「トミンカリクル　カムイカリクル　イソヤンケクル
大神様，勇ましい神様でなくて誰が,

　　言おうと思う事を神様のところへ行って，伝えると言います. 御幣を
　　つけていない普通の箸を iku pashui と言います(酒宴の箸).

tan korachi chikor kotani kemush wa
tane anakne yaiwenukarash pakno
epsakashrapokta unerampokiwenpe tan.
Chikor kotani chiramatkore unekarkan ruwe,
iyairaikere, iso chienupetne kushu
pon tonotopo chikar kiwa pon inaupo
chikotama pasekamui chikoyayattasa
kishiri tapan na." ari okaipe,
kikeushpashui hoshipi ranke echaranke.
Shirki chiki chirikipuniash kani tuki
chiuina wa chirikunruke chiraunruke
rorunso kata iwan shintoko puta chimaka,
pirkasake ponno ranke chiomare ine
kani tuki puraika un chiande.
Taporowa amsetkashi chiosorushi,
inkarash awa nea tuki pashui turano
oararisam. Orowano kepushpenuye
shirkanuye chiki kor okayash aine,
hunakpaketa hepuniash wa ingarash awa
chiseupshoro pirka inau chieshikte,
chiseupshoro retar urar etushnatki, retar imeru
eshimaka kor shiran. Anramashu chiuweshuye.

この様に私たちの村に饑饉があって

もう，どうにも仕様がない程

食物に窮している時に哀れんで下されましょう.

私たちの村に生命を与えて下さいました事，

誠に有難う御座います，海幸をよろこび

少しの酒を作りまして，小さな幣を

添え，大神様に謝礼

申し上げる次第であります.」という事を

幣つきの酒箸が行きつ戻りつ申し立てた.

それで私は起き上って，かねの盃を

取り，押しいただいて

上の座の六つの酒樽の蓋を開き

美酒を少しずつ入れて

かねの盃を窓の上にのせた.

それが済むと，高床の上に腰を下し

見ると彼の盃は箸と共に

なくなっていた. それから，鞘を刻み

鞘を彫り，していてやがて

ふと面をあげて見ると，

家の中は美しい幣で一ぱいになっていて

家の中は白い雲がたなびき白いいなびかりが

ピカピカ光っている. 私はああ美しいと思った.

Orowano shui tutko rerko shiran aike,
otta eashir chisesoike un chiyuputari
chisautari ukohayashi turpa kane, nea humpe
nimpa wa arki humash. Shiyorokeutum
chiyaikore. Chiseupshorun ahup shiri
chinukar ko, chiyuputari chisautari
shinkiruipe ipottumkonna shumnatara.
Shiaworaipa, inauikir nukanrokwa
homatpa wa onkamirok onkamirok.
Rapoketa rorunso kata iwan shintoko
kampashuikan momnatara, kamuierushuipe
sakehura chise upshor epararse.
Orowano chiseupshoro pirka inau chietomte,
tuima kamui hanke kamui ashkechiuk,
shisak tonoto chiukoante. Chisautari
humpe shuipa kamuiutar kopumpa ko
kamuiutar ukoohapse echiu kane.
Chikupnoshki oman kane chirikipuniash,
tapnetapne ainumoshir kem ush wa
chierampokiwen, iso chiyankekatuhu hemem
ainupitoutar chipirkare ko wen kamuiutar
unkeshke kushu, atuichakchak unkeutumwente

それからまた，二日三日たつと，
その時やっと，家のそとで，兄様たちや
姉様たちが掛声高く彼の鯨を
引っ張って来たのがきこえだした．私はあきれて
しまった．家の中へはいる様子を
眺めると，兄様たちや姉様たちは
たいへん疲れて，顔色も萎れている．
みんなはいって来て，沢山の幣を見ると，
驚いてみんななん遍もなん遍も拝した．
そのうちに，東の座の六つの酒樽は
溢れるばかりになって，神の好物の
酒の香が家の中に漂うた．
それから私は，美しい幣で家の中を飾りつけ，
遠方の神，近所の神を招待し
盛んな酒宴を張った．姉様たちは
鯨を煮て，神たちに出すと，
神たちは，舌鼓を打ってよろこんだ．
宴 酣 の頃私は起き上り
斯々，人間世界に饑饉があって
あわれに思い，海幸を打ち上げた次第や
人間たちをよくしてやると，悪い神々が
それをねたみ，海のごめが私に中

katuhu hemem, Otashut kotan
kotankor nishpa eneene unkoyairaike wa
kikeushpashui sonkokor wa ek katuhu
chiomommomo chiecharanke ko, kamuiutar
irhetchehau irihumsehau ukoturpa
iramye hawe kari kane.
Orowano shui shisak tonoto chiukoante,
kamuiutar chikupshopata
chikupshokeshta tapkar humi rimse hawe
tununitara, chisautari nimaraha
anipuntari ampa kane chikupshoutur
erututke, nimaraha kamuimenokutar
eutanne hechiri hawe tununitara.
Tutko rerko shiran ko iku aokere.
Kamuiutar pirka inau tup rep ranke
chikorpare ko kamuiutar ikkeunoshki
komkosanpa, onkamirok onkamirok,
opittano unchisehe kohekompa.
Okakeheta rammakane tanne yupi iwan yupi
tanne sapo iwan sapo takne sapo iwan sapo
takne yupi iwan yupi tura okayash.
Ainupitoutar sakekar ko pishnopishno

傷した事や，オタシュツ村の
村長が斯々の言葉をとって私に礼をのべ
幣つきの酒箸が使者になって来た事など
詳しく物語ると，神たちは
一度に揃って打ちうなずきつつ，
私をほめたたえた.
それからまた，盛な宴をはり
神たちの，そこに
ここに舞う音，躍る音は
美しき響をなし，姉様たちは
提子を持って席の間を酌して
まわるもあり，女神たち
と共に美しい声で歌うもある.
二日三日たって宴を閉じた.
神々に美しい幣を二つ三つずつ
上げると神々は腰の央を
ギックリ屈めてなん遍もなん遍も礼をして，
みんな自分の家に立ち帰った.
そのあと，何時でも同じく長い兄様，六人の兄様
長い姉様，六人の姉様，短い姉様，六人の姉様
短い兄様，六人の兄様と一しょにいり，
人間たちが酒を造るとその度毎に

unnomi un orun inauepumpa ranke.
Tane anakne ainupitoutar nep erushui
nep erannakpe ka isamno ratchitara
okaikushu, chieramushinne wa okayash.

私に酒を送り私のところへ幣をよこす.
今はもう，人間たちも食物の不足も
なんの困る事も無く平穏に
暮しているので，私は安心をしています.

Terkepi yaieyukar,
"Tororo hanrok hanrok !"

Tororo hanrok hanrok !
Shineantota muntum peka terketerkeash
shinotashkor okayash aine ingarash awa,
shine chise an wakusu apapaketa payeash wa
inkarash awa, chiseupshotta ikittukari
chituyeamset chishireanu. Amset kata
shine okkaipo shirkanuye kokipshirechiu
okai chiki chirara kusu tonchikamani kata
rokash kane. "Tororo hanrok, hanrok !" ari
rekash awa, nea okkaipo tam tarara
unnukar awa, sancha otta mina kane,
"Eyukari ne ruwe ? esakehawe ne ruwe ?
na henta chinu." itak wakushu
chienupetne, "Tororo hanrok hanrok !" ari
rekash awa nea okkaipo ene itaki : ——
"Eyukari ne ruwe ? esakehawe ne ruwe ?
na hankenota chinu okai."
hawashchiki chienupetne, outurun
inumpe kata terkeashtek,

蛙が自らを歌った謡
「トーロロ　ハンロク　ハンロク！」

トーロロ　ハンロク　ハンロク！
ある日に，草原を飛び廻って
遊んでいるうちに見ると，
一軒の家があるので戸口へ行って
見ると，家の内に宝の積んである側に
高床がある．その高床の上に
一人の若者が鞘を刻んでうつむいて
いたので，私は悪戯をしかけようと思って敷居の上に
坐って，「トーロロ　ハンロク　ハンロク！」と
鳴いた，ところが，彼の若者は刀持つ手を上げ
私を見ると，ニッコリ笑って，
「それはお前の謡かえ？　お前の喜びの歌かえ？
もっと聞きたいね．」というので
私はよろこんで「トーロロ　ハンロク　ハンロク！」と
鳴くと，彼の若者のいう事には，
「それはお前のユーカラかえ？　サケハウかえ？
もっと近くで聞きたいね．」
私はそれをきいて嬉しく思い下座の方の
炉縁の上へピョンと飛んで

"Tororo hanrok hanrok !" rekash awa
nea okkaipo shui ene itaki : ──
"Eyukari ne ruwe ? esakehawe ne ruwe ?
na hankenota chinu okai." hawash chiki,
shino chienupetne, roruninumpe
shikkeweta terkeashtek,
"Tororo hanrok hanrok !" rekash awa
arekushkonna nea okkaipo matke humi
shiukosanu, hontomota shi apekesh
teksaikari unkaun eyapkir humi
chiemonetok mukkosanu, pateknetek
nekona neya chieramishkare.
Hunakpaketa yaishikarunash inkarash awa,
mintarkeshta shine piseneterkepi
rai kane an ko ashurpeututta okayash kanan.
Pirkano inkarash awa, useainu unchisehe
ne kuni chiramuap Okikirmui kamui rametok
unchisehe neawokai ko
Okikirmui nei ka chierampeutekno
iraraash ruwe neawan.
Chiokai anak tane tankorachi toi rai wen rai
chikishiri tapan na, tewano okai

「トーロロ　ハンロク　ハンロク！」と鳴くと

彼の若者のいうことには,

「それはお前のユーカラかえ？　サケハウかえ？

もっと近くで聞きたいね.」それを聞くと私は,

本当に嬉しくなって,上座の方の炉縁の

隅のところへピョンと飛んで

「トーロロ　ハンロク　ハンロク！」と鳴いたら

突然！彼の若者がパッと起ち

上ったかと思うと,大きな薪の燃えさしを

取り上げて私の上へ投げつけた音は

体の前がふさがったように思われて,それっきり

どうなったかわからなくなってしまった.

ふと気がついて見たら

芥捨場の末に,一つの腹のふくれた蛙が

死んでいて,その耳と耳との間に私はすわっていた.

よく見ると,ただの人間の家

だと思ったのは,オキキリムイ,神の様に

強い方の家なのであった,そして

オキキリムイだという事も知らずに

私は悪戯をしたのであった.

私はもう今この様につまらない死方,悪い死方

をするのだから,これからの

terkepiutar itekki ainuutar otta irara yan.

ari piseneterkepi hawean kor raiwa isam.

蛙たちよ，決して，人間たちに悪戯をするのではないよ.
　と，ふくれた蛙が言いながら死んでしまった.

Pon Okikirmui yaieyukar,
"Kutnisa kutunkutun"

〔Kutnisa kutunkutun〕
Shineantota petetok un shinotash kushu
payeash awa, petetokta shine ponrupnekur
neshko urai kar kushu uraikik neap
kosanikkeukan punashpunash.
Unnukar awa ene itaki : ——
"Ehumna ? Chikarkunekur unkashui yan."
ari hawean. Inkarash ko neshko urai
nepne kushu neshko wakka nupki wakka
chisanasanke, kamuicheputar
hemeshpako neshko wakka kowen kushu
chish kor hoshippa. Chirushka kushu
ponrupnekur kor uraikiktuchi
chieshikari, ponrupnekur ikkeunoshki
chikik humi tokkosanu. Ponrupnekur
ikkeunoshki chioarkaye, chioanraike
poknamoshir chikooterke. Nea neshko uraini
chiosausawa inuash aike, iwan[1] poknashir

(1) iwan poknashir……六つの地獄. 地の下には六段の世界があって

小オキキリムイが自ら歌った謡
「クツニサ クトンクトン」

クツニサ クトンクトン
ある日に水源の方へ遊びに
出かけたら，水源に一人の小男が
胡桃(くるみ)の木の簗(やな)をたてるため杭を打つのに
腰を曲げ曲げしている.
私を見ると，いう事には,
「誰だ？ 私の甥よ，私に手伝ってお呉れ.」
という. 見ると，胡桃の簗
なものだから，胡桃の水，濁った水
が流れて来て鮭どもが
上って来ると胡桃の水が嫌なので
泣きながら帰ってゆく. 私は腹が立ったので
小男の持っている杭を打つ槌(つち)を
引ったくり小男の腰の央(なかば)を
私がたたく音がポンと響いた. 小男の
腰の央を折ってしまって殺してしまい
地獄へ踏み落してやった. 彼の胡桃の杭を
揺り動かして見ると六つの地獄の
　　そこには種々な悪魔が住んでいます.

imakakehe　chioushi humiash.
Orowano　ikkeukiror　montumkiror
chiyaikosanke,　neuraini　shinrichi wano
chioarkaye,　poknamoshir　chikooterke.
Petetoko wa　pirka rera　pirka wakka
chisanasanke,　chishkor hoshippa
kamuicheputar　pirka rera　pirka wakka
eyaitemka　wenminahau　wenshinothau
pepunitara kor　hemeshpa shiri
chopopatki.　Chinukar wa　chieramushinne
petesoro　hoshippaash. ari
　　Pon Okikirmui isoitak.

彼方まで届いている様だ.
それから，私は腰の力，からだ中の力を
出して，その杭を根本から
折ってしまい，地獄へ踏み落してしまった.
水源から清い風，清い水が
流れて来て，泣きながら帰って行った
鮭どもは清い風，清い水に
気を恢復して，大さわぎ大笑いして遊び
ながら，パチャパチャと
上って来た. 私はそれを見て，安心をし
流れに沿うて帰って来た. と
　　　小さいオキキリムイが物語った.

Pon Okikirmui yaieyukar,
"Tanota hurehure"

Tanota hurehure
Shineantota petturashi shinotash kushu
payeash awa, pon nitnekamui chikoekari.
Neita kusu pon nitnekamui shirka wena
nanka wena, kunne kosonte utomechiu
neshko ponku neshko ponai ukoani,
unnukar awa, sanchaotta mina kane
ene itaki : ——
"Pon Okikirmui shinotash ro !
Keke hetak chepshuttuye chiki kushne na."
itak kane neshko ponku neshko ponai
uweunu petetok un aieak awa,
petetoko wa neshko wakka nupki wakka
chisanasanke, kamuicheputar hemeshpa ko
neshko wakka kowen wa chish turano
orhetopo mom wa paye, pon nitnekamui
newaanpe sanchaotta mina kane an.
Shirki chiki newaanpe chirushka kushu,
chikor shirokani ponku shirokani ponai

小オキキリムイが自ら歌った謡
「この砂赤い赤い」

〔この砂赤い赤い〕

ある日に流れをさかのぼって遊びに

出かけたら，悪魔の子に出会った．

いつでも悪魔の子は様子が美しい

顔が美しい．黒い衣を着けて

胡桃(くるみ)の小弓に胡桃の小矢を持っていて

私を見ると，ニコニコして

いうことには，

「小オキキリムイ，遊ぼう．

さあこれから，魚の根を絶やして見せよう．」

と言って，胡桃の小弓に胡桃の小矢を

番え(つが)水源の方へ矢を射放すと，

水源から胡桃の水，濁った水が

流れ出し，鮭どもが上って来ると

胡桃の水が厭なので泣きながら

引き返して流れて行く．悪魔の子は

それをニコニコしている．

私はそれを見て腹が立ったので

私の持っていた，銀の小弓に銀の小矢を

chiuweunu, petetok un akash awa,
petetok wa shirokani wakka pirka wakka
chisanasanke, chishturano mom wa paye
kamuicheputar pirka wakka eyaitemka,
wenshinothau wenminahau pepunitara
hemeshpa shiri chopopatki.
Shirki chiki pon nitnekamui korwenpuri
enantuika eparsere :
"Sonno hetap eiki chiki yukshut tuye
chiki kushne na." itak kane,
neshko ponku neshko ponai uweunu,
kanto kotor chotcha aike kenashso kawa
neshko rera shupne rera chisanasanke,
kenashso kawa apkatopa shinnai kane
momanpetopa shinnai kane rerapunpa,
toop kanto orun rikip shirikan maknatara,
pon nitnekamui sancha otta emina kane an.
Shirki chiki wen kinra ne unkohetari
shirokani ponku shirokani ponai
chiuweunu yuktopa oshi akash awa
kanto orowa shirokani rera pirka rera
chiranaranke, reraetoko apkatopa

番え水源へ矢を射はなすと
水源から銀の水，清い水が
流れ出し，泣きながら流れて行った
鮭どもは清い水に元気を恢復し
大笑いをして遊びさわいで
パチャパチャ川を上って行った．
すると，悪魔の子は，持前の癇癪を
顔に表して，
「本当にお前そんな事をするなら，鹿の根を
絶やして見せよう．」と言って，
胡桃の小弓に胡桃の小矢を番え
大空を射ると，山の木原から
胡桃の風，つむじ風が吹いて来て
山の木原から，牡鹿の群は別に
牝鹿の群はまた別に，風に吹き上げられ
ずーっと天空へきれいにならんで上って行く．
悪魔の子はニコニコしている．
それを見た私はかっと癪にさわったので
銀の小弓に銀の小矢を
番えて，鹿の群のあとへ矢を射放すと，
天上から，銀の風，清い風が
吹き降り，牡鹿の群は

shinnai kane   momanpetopa   shinnai kane
kenashso ka   chiorapte.
Shirki awa   pon nitnekamui
kor wenpuri   enantuika   eparsere,
"Achikarata[1]   sonnohetap
eiki chiki   ukirornukar   aki kushne na."
itak kane   hokanashimip   yaikoare.
Chiokai nakka   earkaparpe   chiyaikonoye,
chikotetterke   unkotetterke.   Orowano
upoknareash   ukannareash   ukoterkeash ko,
ineapkushu   pon nitnekamui   okirashnu wa
humashnankora.   Kipnekorka   hunakpaketa
ikkeukiror   montumkiror
chiyaikosanke,   pon nitnekamui
shikantapkurka   chieshitaiki,
kimun iwa   iwakurkashi   chiekik humi
rimnatara.   Chioanraike   poknamoshir
chikooterke,   humokake   chakkosanu.
Taporowa   petesoro   hoshippaash ko
pet otta   kamuicheputar   mina hawe
shinot hawe   pepunitara kor   hemeshpa shiri

(1)   achikara……「きたない」. おかしい, 生意気なという意味をふく

別に，牝鹿の群はまた別に，
山の木原の上へ吹き下された．
すると，悪魔の子は
持前の癇癪を顔に現し，
「生意気な，本当に
お前そんな事をするなら，力競べをやろう．」
と言いながら上衣を脱いだ．
私も薄衣一枚になって
組み付いた．彼も私に組み付いた．それからは
互に下にしたり上にしあったり相撲をとったが，
大へんに悪魔の子が力のある事には
驚いた．けれども，とうとう，ある時間に，
私は腰の力，からだの力を
みんな出して，悪魔の子を
肩の上まで引っ担ぎ，
山の岩の上へ彼を打ちつけた音が
がんと響いた．殺してしまって地獄へ
踏み落したあとはしんと静まり返った．
それが済んで，私は流れに沿うて帰って来ると，
川の中では鮭どもが笑う声
遊ぶ声がかまびすしくのぼって来るのが
　　む．

chopopatki, kenashso kata
apkautar momanpeutar wenminahau
wenshinothau ronroratki,
taanta toonta ipeshirkonna
moinatara. Chinukar wa
chieramushinne chiunchisehe
chikohoshipi.

ari pon Okikirmui isoitak.

この物語は Okikirmui の父と pon nitnekamui の父とは，前に大
層激しい戦争をしたことがあるので，この pon okikirmui と pon

パチャパチャきこえる．山の木原では，
牡鹿ども，牝鹿どもが笑う声
遊ぶ声がそこら一ぱいになって
そこにここに物を
食べている．私はそれを見て
安心をし，私の家へ
帰って来た．
　　と，小さいオキキリムイが物語った．

nitnekamui とは敵どうしになっています．その親たちの戦争した模
様は別な物語に詳しく出ています．

Esaman yaieyukar,
"Kappa reureu kappa"

Kappa reureu kappa.
Shineantota　petesoro　shinotash kor
maash wa　sapash kiwa,　Samayunkur
kor wakkataru　putuhu ta　sapash awa,
Samayunkur　kot tureshi　kamui shiri ne
oattekkor　niatush ani　oattekkor
kinatantuka[1]　anpa kane　ek koran wakusu
petparurketa　chisapaha patek　chietukka,
"Ona ekora?
Unu ekora?" itakash awa
pon menoko　homaturuipe　shikkankari
unnukar awa　kor wenpuri　enantuika
eparsere,
"Toi sapakaptek,　wen sapakaptek,
iokapushpa,[2]　nimakitarautar,　cho cho……"
ari hawean awa　poro nimakitarautar[3]

(1)　kinatantuka……蒲の束. 蒲は編んで筵の様な敷物にするのです
　　が，よく乾いているのをそのまま編むといけませんから，少し湿して
　　からつかいます. この話にあるのも，そのために女が川へ持って行く
　　のでしょう.

獺 が自ら歌った謡
かわうそ
「カッパ レウレウ カッパ」

カッパ レウレウ カッパ

ある日に，流れに沿うて遊びながら

泳いで下りサマユンクルの

水汲路のところに来ると，
みずくみみち

サマユンクルの妹が神の様な美しい容子で

片手に手桶を持ち片手に

蒲の束を持って来ているので
がま

川の縁に私は頭だけ出し，

「お父様をお持ちですか？

お母様をお持ちですか？」と言うと，

娘さんは驚いて眼をきょろきょろさせ

私を見つけると，怒の色を顔に

現して，

「まあ，にくらしい扁平頭，悪い扁平頭が

人をばかにして．犬たちよ，ココ……」
〔原文ママ〕

と言うと，大きな犬どもが

(2) i-okapushpa. 人は死んでしまった親や親類などの名を言ったり，
その事をふだん話したりする事を i-okapushpa と言って大へん嫌い
ます．また，人のかくしていた事をそばからほじり出して，みんなに
言ったり，その人の聞きにくい様なその人の前の行為などを口に出し

148

usawokuta, unnukar awa notsep humi
taunatara. Chiehomatu, petasama
chikorawoshma, nani petasam peka
kiraash wa sapash.
Sapash aine Okikirmui kor wakkataru
putuhu ta chisapaha patek chietukka,
inkarash awa Okikirmui kot tureshi
kamui shirine oattekkor niatush ani
oattekkor kinatantuka anpa kane
ek wakushu itakash hawe ene okai : ——
"Ona ekora ?
Unu ekora ?" itakash awa
ponmenoko homaturuipe shikkankari
unnukar awa kor wempuri enantuikashi
eparsere,
"Toi sapakaptek wen sapakaptek
iokapushpa, nimakitarautar, cho cho……"
itak awa poro nimakitarautar chisaokuta.
Shirki chiki eshiranpe chieshikarun,

たりする事をも i-okapushpa と言います。
(3) nimakitara……牙の剝き出している。これは犬の事。山のけもの
たちは，人が猟に行くと犬を連れて行きますが，その犬に歯をむき出

駈け出して来て，私を見ると牙を鳴ら
している．私はビックリして川の底へ
潜り込んで直ぐそのまま川底を通って
逃げ下った．
そうして，オキキリムイの水汲路の
川口へ頭だけだして
見ると，オキキリムイの妹が
神の様に美しい様子で片手に手桶を持ち
片手に蒲の束を持って
来たので私のいうことには，
「御父様をお持ちですか？
御母様をお持ちですか？」というと，
娘さんは驚いて眼をきょろきょろさせ
私を見ると，怒りの色を顔に
表して，
「まあ，にくらしい扁平頭，悪い扁平頭が
人をばかにして．犬たちよ，ココ……」
　　　　　　　　　　〔原文ママ〕
と言うと大きな犬どもが駈け出して来た．
それを見て私は先刻の事を思い出し

　　してかかられるのが一ばん恐いので，犬にこんな名をつけて恐がって
　　います．

chieminarushui kor petasama chikorawoshma
kiraash kushu ikichiash awa,
sennekashui nimakitarautar ikichi kuni
chiramuai notsep humi taunatara,
petasam pakno unkotetterke
yaoro unekatta, chisapaha chinetopake
apukpuk arishparishpa ki aineno
nekonaneya chieramishkare.
Hunakpaketa yaishikarunash inkarash awa,
poro esaman ashurpeututta rokash kane
okayash.
Samayunkur ka Okikirmui ka
ona ka sak unu ka sak ruwe chieraman wa
enean irara chiki kushu aunpanakte,
Okikirmui kor setautar orowa aunraike,
toi rai wen rai chiki shiri tapan.
Tewano okai esamanutar itekki irara yan.

　　　ari esaman yaieyukar.

可笑しく思いながら川の底へ
潜りこんで逃げようとしたら,
まさか犬たちがそんな事をしようとは
思わなかったのに,牙を鳴らしながら
川の底まで私に飛び付き
陸へ私を引き摺り上げ,私の頭も私の体も
嚙みつかれ嚙みむしられて,しまいに
どうなったかわからなくなってしまった.
ふと気が付いて見ると,
大きな獺の耳と耳の間に私はすわって
いた.
サマユンクルもオキキリムイも
父もなく母もないのを私は知って
あんな悪戯をしたので罰を当てられ
オキキリムイの犬どもに殺され
つまらない死方,悪い死方をするのです.
これからの獺たちよ,決して悪戯をしなさるな.
　　　と,獺が物語った.

152

Pipa yaieyukar, "Tonupeka ranran"

Tonupeka ranran
Satshikush an wa ottaokayashi ka
sat wa okere tane anakne raiash kushki.
"Nenkatausa wakka unkure
untemka okai！ Wakkapo ohai！" chiraikotenke,
okayash awa, too hosashi shine menoko
saranip se kane arki kor okai.
Chishash kor okayash awa unsama kush
unnukar awa,
"Toi pipa wen pipa, neptap chishkar hawe
iramshitnere okaipe neya？" itak kane
unotetterke unureetursere unseikoyaku,

toop ekimun paye wa isam.
"Ayapo oyoyo！ Wakkapo ohai！"
　　chiraikotenke
okayash awa, too hosashi shui shine menoko
saranip se kane arki kor okai.
"Nenkatausa wakka unkure untemka okai！
Ayapo, oyoyo！ Wakkapo ohai！" chiraikotenke,

沼貝が自ら歌った謡「トヌペカ ランラン」

トヌペカ ランラン
強烈な日光に私の居る所も
乾いてしまって今にも私は死にそうです.
「誰か, 水を飲ませて下すって
助けて下さればいい. 水よ水よ」と私たちが泣き叫んで
いますと, ずーっと浜の方から一人の女が
籠を背負って来ています.
私たちは泣いていますと, 私たちの傍を通り
私たちを見ると,
「おかしな沼貝, 悪い沼貝, 何を泣いて
うるさい事さわいでいるのだろう.」と言って
私たちを踏みつけ, 足先にかけ飛ばし, 貝殻と共に
　　　つぶして
ずーっと山へ行ってしまいました.
「おお痛, 苦しい, 水よ水よ」
　　　と泣き叫んで
いると, ずっと浜の方からまた一人の女が
籠を背負って来ています. 私たちは
「誰か私たちに水を飲ませて助けて下さるといい,
おお痛, おお苦しい, 水よ水よ」と叫び泣きました

okayash awa   pon menoko   kamui shirine
unsamta arki   unnukat chiki,
"Inunukashki   shirsesek wa   pipautar
sotkihi ka   satwa okere,   wakkaewen hawe
neshun okaine,   nekonanep   okai ruwe tan,
aotetterke   apkor okai." itak kane
unopitta   unumomare,   korham oro
unomare,   pirka to oro   unomare.
Pirka namwakka   chieyaitemka,
shino tumashnuash.   Otta eashir
nea menokutar   shinrichihi   chihunara
inkarash awa,   hoshkino ek   unureeyaku
shirun menoko   wen menoko anak   Samayunkur
kottureshi newa,   unerampokiwen
unshiknure   pon menoko   kamui moiremat anak
Okikirmui   kottureshi   ne awan.
Samayunkur   kottureshi   chiepokpa kushu
kor amamtoi   chishumka wa,   Okikirmui
kottureshi   kor amamtoi   chipirkare.
Ne paha ta   Okikirmui   kottureshi
    shino harukar.
Chirenkaine   ene shirkii   eraman wa,

すると，娘さんは，神の様な美しい気高い様子で
私の側へ来て私たちを見ると，
「まあかわいそうに，大へん暑くて沼貝たちの
寝床も乾いてしまって水を欲しがって
いるのだね，どうしたのでしょう
何だか踏みつけられでもした様だが…….」と言いつつ
私たちみんなを拾い集めて蕗の葉に
入れて，きれいな湖に入れてくれました.
清い冷水でスッカリ元気を恢復し
大へん丈夫になりました. そこで始めて
彼の女たちの素性を探って
見ると，先に来て，私を踏みつぶした
にくらしい女，わるい女はサマユンクルの
妹で，私たちを憫み
助けて下さった若い娘さん淑やかな方
は，オキキリムイの妹なのでありました.
サマユンクルの妹は悪らしいので
その粟畑を枯らしてしまい，オキキリムイの
妹のその粟畑をばよく実らせました.
その年に，オキキリムイの妹は大そう多く収穫を
　　　しました.
私の故為でそうなった事を知って

pipakap ari   amampush tuye.
Orowano   keshpaanko   ainu menokutar
amampush tuye ko   pipakap eiwanke ruwe ne.
　　ari shine pipa yaieyukar.

沼貝の殻で粟の穂を摘みました．
それから，毎年，人間の女たちは
粟の穂を摘む時は沼貝の殻を使う様になったのです．
　　と，一つの沼貝が物語りました．

知里幸惠さんのこと

金 田 一 京 助

　知里幸惠さんは石狩の近文の部落に住むアイヌの娘さんです．故郷は胆振の室蘭線に温泉で著名な登別で，そこの豪族ハエプト翁の孫女と生れたのです．お父さんの知里高吉さんは発明な進歩的な人だったので，早く時勢を洞察し，率先して旧習を改め，鋭意新文明の吸収に力められましたから，幸惠さんは幼い時から，そう言う空気の中に育ちました．その母系は，幌別村の大酋長で有名なカンナリ翁を祖翁とし，生みのお母さんは，姉さん〔金成マツ〕と一緒に早く函館へ出で，英人ネトルシプ師の伝道学校に修学し，日本語や日本文はもちろんの事，ローマ字や英語の知識をも得，ことに敬虔なクリスチャンとして種族きっての立派な婦人です．その人々をお母さんと伯母さんに持った幸惠さんは，信者の子と生れて信者の家庭に育ち，父祖伝来の信仰深い種族的情操をこれによって純化し，深化し，ここに美しい信仰の実を結び，全同胞の上に振りかかる逆運と，目に余る不幸の中に素直な魂を護って清い涙ぐましい祈りの生活をつづけて二十年になりました．

　唯々「この人にしてこの病あり」と歎かわしいのは心臓に遺伝的な固疾をもって，か弱く生い立たれたことです．それに近文の部落から，旭川の町の女子職業学校へ通う一里余りの道は朝朝遅れまいと急ぎ足で通う少女の脚には余りに遠過ぎました．その為，なおさら心臓を悪くして大事な卒業の三学年は病褥の上に大半を過しました．それでも在校中は副級長に選ばれたり，抜群の成績を贏ち得て，和人のお嬢さん達の中に唯々ひとりのアイヌ乙女の誇を立派に持ちつづけました．

　幸恵さんの標準語に堪能なことは，とても地方出のお嬢さん方では及びもつかない位です．すらすらと淀みなく出るその優麗な文章に至っては，学校でも讃歎の的となったもので，ただに美しく優れているのみではなく，その正確さ，どんな文法的な過誤をも見出すことが出来ません．しかも幸恵さんは，その母語にも亦同じ程度に，あるいはそれ以上に堪能なのです．今度その部落に伝わる口碑の神謡を発音どおり厳密にローマ字で書き綴り，それに自分で日本語の口語訳を施したアイヌ神謡集を公刊することになりました．幸恵さんのこの方面の造詣は主として御祖母さんに負うらしく，父方の御祖母さんも母方の御祖母さんも，揃いも揃って種族的叙事詩の優秀な伝承者であるのです．

　すべてを有りの儘に肯定して一切を神様にお任せした幸惠さんも，さすがに幾千年の伝統をもつ美しい父祖の言葉と伝とを，このまま氓滅に委することは忍びがたい哀苦となったのです．か弱い婦女子の一生を捧げて過去幾百千万の同族をはぐくんだこの言葉と伝説とを，一管の筆に危く伝え残して種族の存在を永遠に記念しようと決心した乙女心こそ美しくもけなげなものではありませんか．『アイヌ神謡集』はほんの第一集に過ぎません．今後ともたとい家庭の人となっても，生涯の事業として命のかぎりこの仕事を続けて行くと言って居られます．

　　大正十一年七月十五日

　　　　　　　　　　　＊

　今雑司ケ谷の奥，一むらの椎の小立の下に，大正十一年九月十九日，行年二十歳，知里幸惠之墓と刻んだ一基の墓石が立っている．幸惠さんは遂にその宿痾の為に東京の寓で亡くなられたのである．しかもその日まで手を放さなかった本書の原稿はこうして幸惠さんの絶筆となった．種族内のその人の手に成るアイヌ語の唯一のこの記録はどんな意味からも，とこしえの宝玉である．唯この宝玉をば神様が惜んでたった一粒しか我々に恵まれな

かった.

大正十二年七月十四日　京助追記

神謡について

知 里 真 志 保

1. アイヌ文学の展開とその史的背景

アイヌ文学と普通にいわれているものは物語文学である．それを韻文の物語と，散文の物語とに分けることができる．韻文の物語というのは，歌われる叙事詩，いわゆるユーカラ（詞曲）のことであるが，それはさらに「神のユーカラ」（神謡）と，「人間のユーカラ」（英雄詞曲）とに分けられる．「神のユーカラ」というのは，神々が主人公となって自分の体験を語る，という形式をとる比較的短篇の物語である．これはさらに，その物語の主人公である神の性質によって，二つに分れる．一つは，その主人公として，クマや，オーカミや，キツネや，エゾイタチや，エゾフクローや，アホードリや，シャチや，カジキマグロや，ヘビや，カエルや，沼貝などのような動物神，トリカブトや，オーウバユリや，アララギなどのような植物神，舟や錨などの物神，それから火の神，風の神，雷の神などのような自然神が出てきてそれぞれ自分の体験を語るという形式をとる物語で，狭い意味の「神のユーカラ」（神謡）というのは，これである．それを，ここでは，「カムイユカル」(kamuy-yukar)と呼ぶことにする．もう一つは，その主人公として，人間の始祖とされている文化神「オイナカムイ」，——この文化神は「アイヌラッ

クル」とも，「オキクルミ」とも，「サマイクル」とも，その他，地方によってさまざまに呼ばれているが[1]，——その文化神オイナカムイが主人公として現われ，自分の体験を語る，という形式をとる物語であるが，ここではそれを「オイナ」(oyna) と呼んでおく．広い意味の「神のユーカラ」すなわち「神謡」というのは，先に挙げた意味の「神のユーカラ」すなわち「カムイユカル」と，それからいま述べた「オイナ」と，この二種類を含んで成り立っているのである．それに対して，前に挙げた「人間のユーカラ」というのは，——これは全く，人間の英雄を主人公とした，戦争と恋愛の，長大な叙事歌謡である．世間で普通にユーカラといわれているのは，この「人間の英雄を主人公とした叙事歌謡」のことである．私もここではそれを慣用に従って「ユーカラ」と呼んでおくことにする[2]．アイヌの物語文学のうちで，普通にユーカラといっているものには，第一に，自然神を主人公とする「カムイユカル」と，第二に，人格神を主人公とする「オイナ」と，第三に，人間の英雄を主人公とする「ユーカラ」と，この三つの種類があるのである．それと，最初に述べた散文の物語（酋長談）を加えて，本格的なアイヌの物語文学は一応，次のように分類することができるのである．

韻文物語（詞曲）{ 神のユーカラ（神謡）{ カムイユカル…(1)
                              オイナ…………(2)
              人間のユーカラ（英雄詞曲）……………(3)

散文物語（酋長談）……………………………………(4)

ところで，これらの文学形態の差異は文化史的にも重要な意

味をもっているのである．第一のカムイユカルにおいては，植物や器具なども物語の主人公となって出てくるのであるけれども，最も多いのはクマとか，オーカミとか，シャチとかいったような，動物神である．そしてそこでは，人間が，一定の法式を守って神々を崇拝し，ていねいに祭を行ったので，それらの神々が人間の生活を守り，海幸や山幸を与えてくれた，というふうに説く物語が多いのである．

　ところが，第二に挙げたオイナになると，主人公が自然神から人格神に変わるばかりでなく，物語の内容もがらりと変わってきて，人間の始祖とされているアイヌラックルが，人間生活に害をなす魔神どもを懲らしめて人間生活の基礎を固め，人間を幸福にする物語になってくる．前のカムイユカルにおいては，神々が人間に君臨し，人間を支配していたのに対して，このオイナにおいては，人間の始祖である人格神アイヌラックルが支配的な位置にのし上がって，人間生活の幸福を保証し，神々は従属的な位置に落ちて，人間生活を幸福にする事業に協力させられているのである．カムイユカルとオイナとでは，神に対する人間の態度や気持において，非常にちがったものが感じられるのである．この態度や気持のちがいは，おそらく，その物語を産んだ背景の社会集団の生活様式の上に，なんらかの時代的な変化のあったことを示すのである．カムイユカルに出てくる神々は動物神が多く，それらの動物神は，神々の世界では人間の姿をしていながら，人間の世界に現われる際は，動物の姿をしているのである．つまり，人間でありながら，同時に動物で

もあるわけである．カムイユカルの中には，ある特定の動物が人間の先祖である所以を説いたものもあるのである．そのような点を考えに入れると，カムイユカルは，人間がある特定の動物と親類であると考えた，いわゆるトーテミズムの社会——原始共産制の行われている血族的な小集団の社会を背景にして生まれた物語であろうか，と一応考えられるのである．それに対して，オイナの主人公アイヌラックルは，人間の先祖と考えられながら，なんら動物神の痕跡をもたない，完全な人格神である．このような人格神の観念が発生するためには，集団社会の中で階級の分化が生じて，支配するものと支配されるものとが区別され，その中から強い個性が自覚されてこなければならないのである．また生産様式においても，自然の力に対する人間の力の優越が，多少なりとも自覚されてこなければならないのである．オイナの主人公であるアイヌラックルは「人間くさい神様」ということで，事実は原始社会におけるシャマンであり，同時にまた酋長であったと考えられるものである．したがってオイナを産んだ背景の社会としては，このようなシャマン酋長の支配するところの，シャマニズムの爛熟した社会が考えられるのであって，それはある考古学者が主張するような部族的大酋長のもとに原始的な焼畑農業などの行われていた社会であったかもしれないのである[3]．

　第三の，人間の英雄を主人公とする，いわゆるユーカラ（英雄詞曲）には種々の変種がある．胆振および日高の沙流地方でいう「ユカル」(yukar)，石狩・十勝・釧路・根室・北見などに行

われる「サコルペ」(sakorpe)，胆振その他の「ヤイラプ」(yay-
rap)，日高その他の「ハウ」(haw)，樺太の「ハウキ」(hawki)
などがそれであるが，いずれもただ主人公の名がちがうだけで，
物語の筋も謡い方も大同小異である．いま，ユカルを例にとっ
て説明するならば，トメサンペチ川が大きく迂曲して流れるあ
たりにシヌタプカの山城があり，そこの城主は，その名を「ポ
イシヌタプカウンクル」(Poy-Sinutapka-un-kur「若いシヌタプ
カびと」)，あだ名を「ポイヤウンペ」(Poy-ya-un-pe「若い本土
びと」)と称する美貌の少年英雄である．ユカルはこの少年英雄
が，幼にして父母を失い，よるべなき孤児として一族の者ども
の手に育てられたその数奇な生いたちから，長じては同族を率
いて異民族との間に凄絶眼を蔽わしめるいくたの戦闘を繰り返
し，近くの村々遠くの村々に無双の勇名を轟かせ，敵中に花の
ごとき美少女を得て，相携えて悪戦苦闘の末に故郷の村に凱旋
するまでの，波瀾起伏に満ちた半生の物語を，主人公である少
年英雄がみずから述べる形式をとった，雄壮な民族的大叙事詩
で，一篇短かくも二，三千句，長きは二，三万句以上にも及ぶも
のがあり，少年英雄の試みた戦闘の数によって，六戦の詞曲，
八戦の詞曲，十戦の詞曲などと呼ばれ，幾段にも分れ，多くの
挿話を含んだ長大な物語であるから，炉辺でこれを演じる際は，
往々一篇を歌い終わらないうちに夜が明けてしまうこともある
のである．英雄詞曲は数多くあるのであるが，要するに，北海
道の内陸を本拠とする人々——それをユーカラの中では「ヤウ
ンクル」(ya-un-kur「内陸・の・人」)といっているのであるが，

そのヤウンクルが異民族の女を奪ったために異民族の恨みを買って，戦をしかけられ，それにうち勝って，しばらくは平和の時が訪れることもあるけれども，その間に敵は復讐戦を準備して押しかけてくる，するとそれにこちらから反撃を加えて敵の本拠へ深く攻め入り，悪戦苦闘の幾春秋を経て，ようやく敵を完全に克服して本国の山城へ凱旋する，という物語である．この戦争の相手である異民族を一括してユーカラでは「レプンクル」(rep-un-kur「沖・の・人」)というのであるが，それはつまり「海の彼方の連中」ということで，その連中の中には「サンタ・ウン・クル」と称して，いわゆる「山丹人」が出てくるし，その山丹人の仲間には「ツイマ・サンタ・ウン・クル」すなわち「遠い・山丹人」と称して牛の尻尾みたいな髪の毛を背後に垂らしている連中も出てくる．これは明らかに弁髪なので，大陸の民族であることが分るのである．そしてユーカラの中に出てくる英雄たちは，「イヨチびと」とか，「イシカリびと」とか，「チュプカびと」とか，「オマンペシカびと」とか，「レプンシリびと」とかいうぐあいに，いずれもその支配する土地の名を負うているのであり，不思議なことには，それらの土地は，すべてオホーツク式の土器の出る，いわゆるオホーツク文化圏内の土地をさすらしいのである．つまり，ユーカラというのは，北海道を本拠とするヤウンクル（「内陸人」「本州人」「北海道本島人」）と，大陸の方から海を越えてやって来て北海道の日本海岸の中部からオホーツク海岸の各地に橋頭堡を確保して住んでいたレプンクル（渡来の異民族）との民族的な戦争の物語で，そ

の戦争の舞台は，現在いわゆる北部方言地帯と称する北海道の
中部北部東部を中心に，千島・樺太・利尻・礼文，それから北
アジア大陸を含んだ広汎な地域なのであり，しかも，オホー
ツク文化が本道沿岸に栄えたのは，今からおよそ千三百年から八
百年くらい前までの約五百年間と見られているので，ユーカラ
の内容も，大体，その頃に現実に行われた民族的な葛藤を歌っ
たものであったことがわかるのである．そして，大陸の方から
押しかけて来た渡来の異民族と戦うために，北海道根生いの民
族は，各地の酋長を集めて，族長会議をやっている．この頃は，
もう部落・部落が孤立していたのではなく，異民族の侵入に対
して，本土の連中が一致団結して部落連合というようなものを
作り，総指揮者をおし立てているのである．そして，そのよう
な共通の敵に対する団結を通して，同族意識を高揚し，自覚し，
そこに，後世のアイヌという一つの民族を形成する地盤が作ら
れてゆくのである．その民族の存立興亡を賭して戦った歴史的
な大事件を，後に回顧して，民族的な大叙事詩として歌い上げ，
代々伝えて磨き上げてきたものが，他ならぬこのユーカラであ
ったのである．上に述べた通り，ユーカラの内容をなす民族的
な葛藤の終熄した年代は今から八，九百年以前と考えられるの
で，ユーカラが文学として成立するのは，それから後の民族の
苦難を克服して意気軒昂たる平和建設の時代においてであった
と考えられる．そして，このユーカラの成立に形式を与えたの
は，それよりもはるかに以前から存在していて祭のあるたびに
繰り返し演じられてきた「神のユーカラ」，特にそのうちのオイ

ナであったと考えられるのである．オイナは，原始的な仮装舞踊劇において神に扮した者の歌う詞章だったのである⁽⁴⁾．物語の主人公がみずからの体験を語るという，アイヌ文学の特徴である，いわゆる一人称叙述の形式は，そこから生まれてきたのであるが，英雄の叙事詩であるユーカラもまた，主人公の少年英雄がみずからの体験を語るという形式で述べてゆくのである．

　次に，第四の散文の物語（酋長談）というのは，「ウエペケル」（uwepeker）とか「ツイタク」（tu-itak）とかいわれているもので，これは普通に「昔話」と訳されているのであるが，日本民俗学などでいう昔話とは，よほどちがうものであって，内容は部落の酋長の体験談であり，形式はアイヌ文学の伝統を継いでやはり第一人称説述体である．ここではそれを「ウエペケル」（酋長談）といっておくことにする．ところで先に述べたカムイユカルでは，自然神が主人公であった．次のオイナでは，人格神が主人公であった．その次のユーカラでは，人間の英雄が主人公であって，それは完全に人間と意識されているが，その行動は，空中を飛行したり，海底を走っていったり，とにかく現実ばなれがしており，まだ完全に人間に成りきってはいない．ところが，ウエペケルに出て来る人物は，もう完全に部落の酋長とその部下であり，松前交易にも出かけて行くのである．その部落のある地域は，アイヌ文学の伝統を継いで，十勝・釧路・湧別・天塩・石狩など，北海道の中東北部を主としているが，その時代は江戸の中期から末期へかけての，実在のアイヌ部落と酋長の物語なのである．

2. 神謡の名称と語義

　神謡のことを胆振, および日高の沙流地方ではカムイユカル (kamuy-yukar) という. 「神のユカル」の義である. ユカル, ユーカルという語は, 今ではこれらの地方では人間の英雄であるポイヤウンペを主人公とする英雄詞曲の意に使われているが, 古くは神謡がユカルだったらしい. それはこの語の用語例, および語原を探ってみれば分るのである. 樺太ではユカル (yu-kar) をユーカラ (yukara) と発音し, それを歌声の意に用いている. ヘチリ・ユーカラ (hechiri-yukara) といえば「踊り歌」の意味である. 「ネイタ・ユーカラ・イサン」(ney-ta yukara isan) すなわち「どこにも, 歌声が, 無い」といえば, 「ひっそりとしている」ということである. また動物の鳴声をもユーカラといっている. ユーカラキキリ (yukara-kikiri) すなわち「歌う虫」といえば蟬のことである. 北海道の幌別においてもそういう意味に用いた用例を指摘することができる. この地方のある神謡の中で, 蛙が人祖オキキリムイの家の敷居に坐って, 「トーロロ・ハンロク・ハンロク」と鳴いた. するとオキキリムイはにっこり笑って, 「エユカリ・ネ・ルウェ? エサケハウェ・ネ・ルウェ?」(e-yukari ne ruwe? e-sake-hawe ne ruwe?)「それがあんたのユカルですか? 酒宴の歌ですか?」といったとある⁽⁵⁾. これらの用語例によって分る通り, ユカルは動物の鳴声——動物は神であるから, それは同時にまた神の歌声である——でもあった. しかも一方ではユカルには「真似る」という意味があ

り，その語原はおそらく yuk-kar で，「獲物をなす」「獲物のさまをなす」「獲物の真似をなす」ということだったらしい．古くアイヌの社会には祭儀の際に演じられる習いだった呪術的仮装舞踊劇があり，そういう仮装舞踊劇においては，シャマンが獲物たる動物——それがアイヌにおいては神である——に扮して，その鳴声を発しながらその行動を所作に表わして舞うことが行われた．その所作，およびそのように所作することがユカル，すなわち「獲物の真似をなす」ことだったのである[6]．神謡はもと，そのような仮装舞踊劇の詞章だったのであり，それもまたユカルだった．現に，阿寒地方のフプシナイなどでは，いまユカルといえば神謡のことである．しかるに，神謡が後に人間の英雄を主人公とする英雄詞曲にまで発展するに及んで，胆振および日高の沙流地方ではユカルといえばもっぱらそれをさすようになったので，それと区別するために，これらの地方では神謡を特にカムイユカル，すなわち「神の詞曲」というようになったのであろうと思う．

　北海道の中東北部から樺太にかけて，神謡のことをオイナ（oyna）という．北見の美幌では別に小鳥のさえずりをもチカポイナ（chikap-oyna「鳥のオイナ」）という．また胆振の幌別では追分節のことをサモイナ（samoyna「日本人のオイナ」）という．つまり動物の鳴声——それは同時に神の歌声である——をも，また人間の歌声をもオイナというのである．ところが一方において，オイナにはその古い用語例をしらべてみると「巫術において神懸りの状態になる」「巫術において忘我の境地に入

る」という意味がある．神謡をオイナというのは，神謡の一部がそういう神懸りの状態において発した託宣の歌から発達したものだったからであろう．オイナの語原については「分析的にはよく分らない」といわれているのであるが[7]，試みに解釈してみると，「エシ！ エシ！」(es! es!)というくしゃみの音が動詞化してエシナ(es-na「エシエシとくしゃみする」)という語ができたように，「オイ！ オイ！」(oy! oy!)という泣声が，あるいは「ホイ！ ホイ！」(hoy! hoy!)という叫び声または掛声が動詞化して，オイナ(oy-na「オイオイ泣く」「ホイホイ叫ぶ」)という語ができたのかもしれぬ．オイナという語は「泣き叫ぶ」に関係がありげであり，樺太の詞曲に出てくるモイサム姫が，「泣きながら，自然に神がかりになって，頭や体をゆすぶって泣き声をそのままいつか巫に入って」巫謡を吟じてした[8]ということや，赤ん坊が泣きいさつことを「チシ・オイナ・カル」(chis-oyna-kar「泣いて・オイナ・がかる」)ということや，オキキリムイの妹が許嫁の夫たるオキキリムイを日の女神に盗まれて，泣きながら取り戻しに行く神謡に，「オイナ・ソー」という折返が附いて[9]いることなどが思い合わせられる．神謡が「チシ・シノッチャ」(chis-sinotcha「泣き歌」)と無関係でないことは他にも例が見出される[10]．

　泣きいさつことを「チシ・カムイ・カル」(chis-kamuy-kar「泣いて・神・がかる」)ともいう．幌別では神謡のことをカムイ・カル(kamuy-kar)ともいうが，これは普通に考えられているようにカムイユカルの約まったのではなく，やはりオイナと

同じく，泣きながら異常意識に入って謡う歌の意だったかもしれず，またもっと起原にさかのぼって「神を・なす」「神のさまを演じる」の意だったかもしれない．

　祭儀の際に演じられる習いだった呪術的仮装舞踊劇からその詞章だけが分離して，それだけで神謡という独立の文学形態として確立し，一方では人間を主人公とする英雄詞曲が発達して，それがもっぱら男によって演じられるようになると，神謡の方はもっぱら女によって演じられるようになったようである．それで釧路では神謡をマチュカル（machukar＜mat-yukar「女のユカル」），美幌でもマツヌカル（matnukar＜mat-yukar「女のユカル」）といっている．

　なお，美幌では神謡をサコラウ（sakoraw）ともいうが，それは「サ・コル・ハウ」（sa-kor-haw）すなわち「ふし（折返）を・もつ・声（物語）」の義である．

3.　神謡の条件

　神謡は神々の自叙の形式をとる比較的短篇の詞曲――歌われる叙事詩――で，その形式的特徴をあげれば，

　（a）　第一人称説述体（自叙体）であること，すなわち説話の主人公たる神々が「我は……我は……」の形式で語ることである．これは神謡というものが，その一部は祭儀の際に演じられる習いだった呪術的仮装舞踊劇の詞章から発達したものであり，そういう仮装舞踊劇において神に扮した者の発するセリフであったということ，また神謡のあるものはもと巫謡から発達した

ものであってがんらいは神の託宣であったということなどから，過不足なく説明されるのである．その第一人称説述体をとることは，神謡としては必要な条件の一つではあるが，充分な条件ではない．本格的なアイヌ説話は，神謡に限らず，英雄詞曲でも，散文の物語でも，ことごとくこの第一人称説述体をとるからである．しかも，神謡が形式的に確立してしまってからは必要な条件とすら意識されなくなったらしい．なぜなら，ずいぶん第三人称説述体（側叙体）の神謡も各地に存在するからである．

　　（b）　説話の主人公，すなわち「我は……我は……」と語るものは，神であるが，ただしここで神というのは，もちろんアイヌの観念における神であって，我々の考えるような意味の神ではない．アイヌにおいては，獣鳥虫魚介草木日月星辰みな神である（――というよりも，神々が我々人間の目にふれる時に限り，かりにあのような姿をとって現われる，という考え方である）．そこで神謡の世界においては，熊・狼・狐・獺・エゾイタチ・犬・鼠・兎・鯱・めかじき・鯨・ふくろう・鴉・雀・鶴・啄木鳥・しぎ・阿房鳥・かっこう・つばめ・鷲・フーリやケソラプと称する想像上の鳥・蟬・蛙・蛇・蜘蛛・蝶・こおろぎ・鮭・沼貝・河童・トリカブト・ウバユリ・アララギ・火の神・風の神・雷神・その他の神々・種々の魔神・錨・舟等が主人公となって現われる．それから，もう一つの方のオイナには，半神半人の人祖アイヌラックルその他の神々が主人公となって現われるのである．

　　神がみずから述べるということも，神謡としては，必要な条

件ではあるが，充分条件ではない．内容は神謡とそっくりであ
りながら折返もなく，散文で語られる「カムイ・ウエペケル」
と称する酋長談もあるのである．しかも神謡が形式的に確立し
てしまった後は，必ずしも必要な条件としてさえも意識されな
くなったらしい．人間が主人公となって述べる形式の神謡も珍
しくはないのである．

　　(c)　すでに述べたごとく，説述は原則として第一人称で展
開してゆくので，口演の最中は，口演者が自身曲中の人物にな
りすまして，そのくちぶりで謡っていって，結末に至って，
「……と何某神が自ら謡った」(ari……kamuy yayeyukar)と平
常語でいい納める．この結末の文句は，樺太の神謡にはない．
北海道の神謡(カムイユカルやオイナ)でもいわないものがある．
英雄詞曲でもいわない．ただ神謡から発達したと見られるウエ
ペケル(酋長談)には，必ず附くことになっている．この結末の
一句は，神謡が口承文芸の一つの形態として確立したはるか後
になって，説明として附加される習わしとなったもので，必ず
しも神謡としては必要な部分ではなかった．むしろ神謡のかな
りの部分が古く演劇の詞章として実演されたものであり，した
がってこの種の文句は本来なかったのがあたり前である．

　　(d)　神謡の言語は，日常用いる「平常語」(ヤヤン・イタク
yayan-itak〔普通の・ことば〕)とはひどく異なったもので，古
語・雅語が満艦飾で出てくるところの，いわゆる「雅語」(アト
ムテ・イタク atomte-itak〔飾った・ことば〕)である．その上，
同じく雅語を用いるにしても，英雄詞曲などとは違った人称法

をとる．第一人称を神謡では chi-〔われが，われらが，われの，われらの〕，-as〔同上〕，un-〔われを，われらを〕等で表わすのに対して，英雄詞曲では a-〔われが，われらが，われの，われらの〕，-an〔同上〕，i-〔われを，われらを〕等で表わす．たとえば神謡では(1)のごとくいうのを，英雄詞曲では(2)のごとくいうのである．

(1)　amset kasi, *chi*-e-horari, kepuspe-nuye, sirka-nuye, *chi*-ko-kip-sir-echiw, neampe patek, monrayke ne, *chi*-ki kane, okay-*as*.(高床の上，我そこに坐り，鞘彫り，鞘刻み，我それに没頭し，それのみを，仕事に，我なしつつ，我暮せり)

(2)　amset kasi, *a*-e-horari, kepuspe-nuye, sirka-nuye, *a*-ko-kip-sir-echiw, neampe patek, monrayke ne, *a*-ki kane, okay-*an*.(同上)

　この人称法の特徴は，第一人称においてのみ特別の代名詞を用いることに在るのであって，それは神が人間と異なる言葉で自分を区別する意図に発したものであるらしい．したがってこの人称法は，幌別や近文や美幌や芽室それから樺太の神謡では，必ず守られなければならないものであるが，ヒダカのサル地方では必ずしもそうではないと見えて，金田一博士の発表された神謡の大部分，久保寺逸彦氏の発表されたものは全部，英雄詞曲と同じ人称法をとっている．したがって少くとも後世になってからはこれも神謡としては必須の条件ではない．

　(e)　神謡の数はほとんど無数といっていいほどたくさんあるが，一篇一篇，特有の曲が附いていて，中にはかなり変化の

ある花やかな調子で歌われるものもある．久保寺逸彦氏は「神謡の節は……歌うと語るの中間をいくようなもので，あまり声に抑揚変化のない単純なものである」(「アイヌの音楽と歌謡」〔『民族学研究』第5巻第5・6号〕)といっているが，金田一博士は，「神謡は純然たる宗教説話の詩篇で，がいして短いが，数は無数であり，節も一つ一つ違い，特有の折返(アイヌ語では sakehe「節の所」)をもって，全部がその折返の節で謡われて行く音楽的なものである」(「アイヌの民族的叙事詩」〔『文学』第3巻第11号〕)といっておられる．

この折返を以て謡われるということが，神謡においては必須の条件である．神謡の条件として，それはまさに決定的である．この条件さえ満たされるならば，主人公が人間であっても，説述が第三人称で行われても，アイヌはそれを神謡と認めるのに躊躇しないが，反対に主人公が神でも，第一人称で語られても，折返をもって謡われるのでなければ，それをただちに神謡とは認めないのである．北見の美幌で神謡を「サコラウ」(折返を持つ物語)と名づけているのはそういう意味でアイヌの気持をあらわしているのである．神謡とは，形式的にいえば，折返をもって歌われる叙事詩である，――もっと簡単には，折返をもつ詞曲である，と定義することができよう．

4. 神謡の折返

神謡には必ず折返がつく．この折返の有無こそ，神謡と他の種類の説話とを区別する決定的な条件である．そこで折返とい

うものの性質をもう少し詳しく見ておきたいと思う．

　（a）折返の数．——一篇の神謡は一個の折返を持つのが普通である．しかるに神謡の中には二個以上の折返を持つものがある．その内，二個の折返を持つものをツサケコルペ(tu-sake-kor-pe「二つ・折返・もつ・もの」)といって，一つの神謡が途中から別の折返をとるのである．それに二つの場合があって，(イ)途中から主人公が変わるとそれにつれて折返の変わるものと，(ロ)主人公はそのままであるが途中で説話の内容が一変するとそれにつれて折返の変わるものとがある．前の場合が断然多く，それが本原に近い形式である．

　三個以上の折返をもつ神謡もある．しかし神謡全体の上から見る時，この種のものは極めて稀な存在だといわなくてはならない．

　（b）折返の位置．——折返は種々の位置につく．(1)各句の冒頭に繰り返されるもの，(2)各句の末尾に繰り返されるもの，(3)ところどころに規則的に繰り返されるもの[11]，(4)説話中の特定の個所にだけ繰り返されるもの，等々．第一の場合が最も多く，それが本来の形式であった．第二の場合もかなり多いが，第三の場合は稀であり，最後の場合はきわめて稀な例外に属する．神謡の折返は本来動物神の名乗りみたいなものであるから，最初につくのがもとの形式であり，また詞章の切れ目に入れられるものであるから前の句の句尾に属するかのように意識されるのも自然である．

　（c）折返の意味．——折返の中には，今では全く意味不明

に帰してしまったものもかなりある．長い年月，広い地域にわたって，口承されている間に，語形が変わり，もとの意味が見失われてしまったからである．そういうものはしばらくおいて，現在意味のとれるものだけについて見れば，ほぼ四つの場合に分けられる．

(1)　その神謡の主人公たる神本来の歌声が折返となっているもの．例えば熊の神謡の折返，「フウェ・フウェー！」(huwe huwe)とか「ホウェーウェ・フム」(howewe hum)とかいうのは，ウェーウェーという熊の鳴声であり，または鳴声を含むものである．狼の神謡の折返「ウウー・ワ・テンル・テンル」(u-u-wa tenru tenru)は，「ウウー」という狼のうなり声を含む．鴉の「ホワ・ホワ・ホワー」(howa howa howā)は鳴声である．「カー・フンカ・ハソー」(kā hunka hasō)，「ハンカ・ワ・カー」(hanka wa kā)など，いずれも鳴声を含む．雀の「ハン・チキキー」，鶴の「ハン・トックリ・ワ・コローロ」(han-tokkuri wa korōro)，啄木鳥の「エソクソキ・ヤー」，しぎの「ハン・チピヤク」(han chipiyak)，いずれもそれぞれの鳥の鳴声を含んでいる．蟬の「ヤーキー」(yāki)，蛙の「トーロロ・ハンロク・ハンロク」(tōroro hanrok hanrok)，いずれも鳴声である．

鳴かぬ神の場合でも，それに特徴的な音をもって折返とする．鼠の神謡の折返「ハンキリキリ」では，キリキリが物をかじる音である．竜蛇の折返「アシュシュン・アシュシュン」(asusun asusun)では，蛇のシューシューと地を這う音を表わしている．

この種の神謡にあっては，その折返がただちにその神謡の主

人公の何神であるかを推測せしめる．神謡としては最も本原的
な形式であると思われる．

　（2）　その神謡の主人公たる神を一般的に観察した場合その
特徴となるような動作または性質を把えてその主人公を象徴的
に示すもの，例えば蛇の神謡の折返に次のような長いものがあ
る．「ペンキナ・パンキナ・ウーカルカリ・タンネトー，イユタ
ニ・シッチウェ・タンネトー，イユタニ・アーシ・タンネトー」
(pen-kina pan-kina ūkarkari tanne-to iyutani sitchiwe tanne-
to iyutani āsi tanne-to)〔かみの草・しもの草・うねうねと・
長々と，杵をついたり・長々と，杵を立てたり・長々と〕．こ
れは草間を分けて行く蛇の動作の表現である．火の神の折返に
「アペメル・コヤン・コヤン」(ape-meru ko-yan ko-yan)〔火の
光・あがる・あがる〕といい，雷神に「フム・パク・パク」(hum
pak pak)〔ごろごろ・ぴかっ・ぴかっ〕といい，風の神に「ペ
ネ・クマ・カ・ペー・ヅイヅイ」(pene kuma ka pe tuy tuy)
〔ぬれた・魚乾竿・いちめん・しずく・ぽたりぽたり〕というな
ど，すべてその属性の描写によって象徴的に神謡の主人公を表
わすものである．

　（3）　その説話における主人公の臨時的にとる動作，あるい
はその説話の中の状景あるいは事件そのものを象徴的に表わす
もの．「シュマツム・チャシチャシ・トワトワト，ニイヅム・チ
ャシチャシ・トワトワト」(suma-tum chas-chas towa towa to,
nitum chas-chas towa towa to)〔石原さらさら駈けぬける，木原
もさらさら駈けぬける〕という折返の神謡では，狐が実際に日

182

中石原や木原を駆けずりまわるのである[12]．「ハ・レン・レン」
(ha ren ren)〔そら・沈む・沈む〕という折返の神謡では，エゾ
イタチと雲居の空を守る女神とが術比べをしてぐらぐらに沸き
たつ鍋の中に飛びこむのである(金田一京助『随筆ゆうから』pp.
151-153)．「ヅッサイ・ヅリ・ヅッサイ・マヅ」(tussay turi tus-
say matu)〔綱の輪を・のばしたり・綱の輪を・引きしめたり〕
という折返の神謡では，オキクルミとサマイウンクルが，銛綱
をゆるめたり引きしめたりしながら六日六夜メカジキに海上を
引き廻されるのである[13]．

　(4)　叫び・はやし・かけ声の類もある．「ウンナ・オーイ」
(unna ōy)という神謡の折返は，危急を告げる女の叫び声「ホ
ーイ」を含む(『随筆ゆうから』pp. 137-141)．「アツイパ・ワ・ホ
ー」(atuy-pa wa hō)〔海のかみ・から・そら(漕げ)〕は，もとも
と舟唄のはやしであったかと思う(金田一京助「上代文学とアイヌ
文学」『上代日本文学講座』第 2 巻)pp. 203-207)．「ホーレー・ホー
レー」(hōrē hōrē)(『随筆ゆうから』pp. 123-126，『ユーカラ概説』pp.
158-164)，「ソーレ・パ・ソーレ」(sōrē pa sōrē)(幌別の神謡)[14]，
「ハチョーリ・ハチョーリ」(hachōri hachōri)(『ドルメン』第 3 巻
第 2 号，pp. 106-108)，「ヘイ・ヌ・ウン」(hei-nu-un)(『アイヌ文
学』pp. 108-112)，「ヘイ・ヤイ・イェー」(hey-yay-yē)(『アイヌ
聖典』pp. 283-297)等は，身振または踊に伴う掛声だったらしい．

　以上四種の折返の存在は，神謡が古くは祭儀において所作に
伴って歌唱されたものであると考えることによってのみ，その
意義を把えることができよう．すなわち祭儀の際に行われた呪

術的仮装舞踊劇において，神に扮した者が自分は何神であるか
を示すために鳴声を発したのが第一種の折返であり，動作によ
って象徴的にそれを示したのが第二種の折返であり，所作によ
って事件を描くと共にそれを言葉に表わして歌ったのが第三種
の折返である．第四種の折返も，神謡がたんなる謡い物ではな
くて古くは舞いながら歌ったものであることを示しているので
ある．

　神謡が古くは祭儀に演じられた呪術的仮装舞踊劇の詞章であ
ったことは，(a)神謡の名称の語原の探求からも，(b)神謡に見
られる神の訪れの観念の分析からも，(c)神謡(特にオイナ)に
出てくる主人公の名称の語原の探求からも，(d)神謡と祭儀の
一致からも，それから(e)この折返の意義の研究からも，推論さ
れるのである．神謡がたんなる謡い物ではなく，古くは舞われ
たものであることは，(f)神謡の結末に多く "ari……kamuy
yayeyukar"「と何某神がヤイェユカルした」という文句がつく
のであるが，ヤイェユカルの原義は，ヤイは「自分」，エは「に
ついて」あるいは「において」，ユカルは「まねる」「所作で表
わす」ということであるから，これは結局「自分の体験を所作
で表わす」という意味である．そのことからも神謡が舞われた
ものであることが推察される．また(g)神謡の途中で主人公が
変わる場合が再々ある．そういう際，我々なら「話変わって」
などというのであるが，神謡では "ari an ko oyak ta terke"
「という所で彼は他所へテ̇レ̇ケ̇した」という．テレケというの
は「跳ぶ」「踊る」「舞う」ということであるから，これは「と

184

いう所で彼は他所へ舞い去った」ということである．そういう
点からも神謡が古くは舞われたものであることが推察されるの
である．(h)その他神謡の慣用句の中には，神謡がたんなる謡
い物ではなく，古くは所作であったにちがいないと思わせるも
のが非常に多いのである．

（1） 拙稿「呪師とカワウソ」（『北方文化研究報告』第 7 輯），58-66
　　　ページ（『知里真志保著作集』〔平凡社 1973-1976. 以下『著作集』
　　　と略す〕第 2 巻収録）.

（2） アイヌ語の原語は Yukar であるからそれは「ユカル」あるい
　　　は「ユーカル」とするのが正しい．「ユーカラ」（Yukara）という
　　　のは樺太の語で単に歌声の意である．次節「2. 神謡の名称と語義」
　　　参照.

（3） 河野広道「北海道史の時代区分」（『北方研究』第 1 輯），39-41
　　　ページ.

（4） 「呪師とカワウソ」66-68 ページ：拙稿「ユーカラの人々とそ
　　　の生活」(I)（雑誌『歴史家』第 2 号〔『著作集』第 3 巻収録〕），2 ペー
　　　ジ以下参照.

（5） 知里幸惠『アイヌ神謡集』128 ページ以下参照.

（6） 「呪師とカワウソ」67 ページ.

（7） 金田一京助『ユーカラ概説』249 ページ.

（8） 金田一京助『アイヌ文学』58 ページ以下.

（9） 拙稿「続アイヌ神謡集」第 13 話〔『著作集』第 1 巻，202-206 ペー
　　　ジ〕.

（10） 「呪師とカワウソ」註(22)，78-79 ページ.

（11） 例えば『アイヌ神謡集』第 2 話では「石原さらさら駈けぬけた，
　　　木原もさらさら駈けぬけた」という折返を要所に繰り返す.

（12） 知里幸惠『アイヌ神謡集』第 2 話.

(13)　「続アイヌ神謡集」第5話〔『著作集』第1巻，183ページ〕.
(14)　「続アイヌ神謡集」第17話〔『著作集』第1巻，212ページ〕.

補訂にあたって

中 川　　裕

I. 岩波文庫『アイヌ神謡集』旧版からの　　修正点について

1. 知里幸惠『アイヌ神謡集』の校訂に関する問題点

　解説に記したように，知里幸惠(1903-1922)の『アイヌ神謡集』(1923，郷土研究社．以下，『神謡集』と略称)は，幸惠の没後一年を経てから出版されたものである．幸惠の自筆原稿はそのまま印刷所に送られたのではなく，いったんタイプ原稿に打ち直された．幸惠はそのタイプ原稿の校正を自身で行い，それが完了した 1922 年 9 月 18 日の夜に，心臓発作で亡くなったとされている．

　問題は，その自筆原稿も，それを打ち直したタイプ原稿も，またその校正刷り(ゲラ)も現存しておらず，残っているのは1923 年に郷土研究社から刊行された初版本のみであるということである．この初版本のゲラの校正には，幸惠自身は当然関わっておらず，また幸惠にこの本の出版を勧めた金田一京助も目を通した形跡が無いらしいことが，北道(2002 : 6-7)で指摘されている．

　その初版本以外に，幸惠自身が書いた『神謡集』のテキスト

がどのようなものであったかを知る手がかりとしては，現在北海道立図書館に所蔵されている幸恵の自筆ノートがある（以下，『ノート』と略称）．影印版が 2002 年および 2023 年に知里森舎から刊行されており，弟の知里真志保の妻である萩中美枝の翻刻で，北海道教育庁社会教育部文化課編（1982-1986）として北海道教育委員会から対訳が刊行されている．この『ノート』中には『神謡集』と同じ話の別バージョンが記録されており，テキストの欄外には幸恵自身の註や，金田一京助のものと思われるコメントも書き込まれている．

　北道邦彦をはじめ，多くの人が指摘しているように，『神謡集』の初版本には明らかに誤植と思われるものや，幸恵自身の思い違いと思われる表現などが多数含まれている．それを初版のままにしておくという考え方もあると思われるが，上記の通り，これは著者自身の校正も，アイヌ語の専門家の校閲も経ていないものであり，ここでの表記を絶対視する必要は無い．初版自体は，知里真志保を語る会編（2002）によって復刻が行われており，初版でどのようになっているかを知りたい場合には，同書を参照すれば良い．また，この『神謡集』に基づいてアイヌ語やアイヌ文化を学んで行こうとする時に，最も参照されているのがこの岩波文庫版であることは疑いない．

　以上のような理由で，この新版では『ノート』の記載などを参照しつつ，初版における誤りと思われるものを訂正し，知里幸恵自身が意図したテキストを再現するということをひとつの目標とした．そしてさらに，原文の意図を損なうことなく，刊

行 100 年を迎えた現在，現代の読者にとって読みやすい表記にしていくということを，もうひとつの目標とした．

2. 表記修正の原則

　岩波文庫版『神謡集』は，18 刷で表記や訳文の脱落などを一度修正し，その後は最新版の 66 刷まで修正は行われていない．以下，18〜66 刷を「旧版」，本書を「新版」，そして 1923 年の郷土研究社版を「初版」と呼ぶことにする．

　『神謡集』は初版以来，さまざまな復刻・再刊の過程で表記の改訂が行われているが，その詳細は北道（2002）で論じられているので，ここでそれを再掲することはせず，初版と旧版を出発点として，そこからの修正点を以下に示すことにする．修正の原則は次に従う．

①初版において，明らかな誤植・誤記と思われるものは，正しいと推測される形に修正する．

②旧版で新たに加えられた誤りを修正する．

③旧漢字・旧仮名遣いは，新漢字・新仮名遣いに修正する．

④異体字は，相当する当用漢字に修正する．

⑤初版にはルビは振られていないが，読みにくい漢字には，正しいと推測される読みをルビで示す．

3. 初版・旧版のアイヌ語誤記の修正

　アイヌ語ローマ字表記に関して，初版においてすでに誤植であると思われながら，旧版にそのまま引き継がれている箇所は

非常に多い．これについては北道（2002）で詳細に検討されており，今回の新版でもほぼ全面的にそれに準拠することにし，さらに私が気づいたものをそこに加えた．「頁-行」は新版のものを示す．なお，「行」は空白行を数えないものとする．

頁-行	初版・旧版	新版
16–11	pono	ponno
22–07	ashurpeututa	ashurpeututta
36–09	ushiyakko	ushiyukko
40–07	achomatup*	aehomatup
42–02	rurpa	turpa
62-脚注	eosineru	esoineru
66–17	shiran."	shiran.
82–08	chirakewehe	chiraikewehe
82–11	ingrash	ingarash
88–17	eonnohetapne	sonnohetapne
94–03	"Konkuwa	Konkuwa
94–04	Teeta kane	"Teeta kane
98–03	orum	orun
112–12	etutumpe	etuhumpe
114–20	chipahun	chupahun
118–17	oppittano	opittano
120–05	chienupene	chienupetne
124–12	erututtke	erututke
126–03	iramno	isamno
136–10	chierameshinne	chieramushinne

142-07	hokanachimip **	hokanashimip
142-15	shikautapkurka	shikantapkurka
152-06	Wakkapo" ohai!	Wakkapo ohai!"
152-15	〃	〃
152-20	〃	〃

＊　初版では aehomatup　　＊＊　初版では hokanashimip

4.　初版・旧版の日本語誤記の修正

　日本語については，初版において誤記であると判断されるものと，旧版の作成時に生じた誤記とがある．まず初版から旧版に引き継がれた誤記だと思われるものを一覧する．新版での変更の理由について注記の必要なものは注記を行う．

頁-行	初版・旧版	新版	注記
序 3-05	人だち	人たち	1)
49-10	籤	箕	2)
55-19	槻	舵	3)
55-21	〃	〃	
57-09	〃	〃	
57-11	〃	〃	
95-03	「コンクワ	コンクワ	
95-04	昔	「昔	
129-04	「或日に	ある日に	
147-17	ココ……	［原文ママ］ ココ……	4)
149-17	〃	〃	

| 155-11 | 気性 | 素性 | 5) |

1) 初版では「人だち」となっているが，知里幸恵の功績を記念した「知里幸恵 銀のしずく記念館」館長の木原仁美氏から，『ノート』中のHaritkunnaという神謡中に「人たち」という自筆表記があることをご指摘いただいた．したがって，初版での誤植と見て，ここでは「人たち」としておく．

2) これについては北道（2002：6-7）が指摘している．『ノート』のこの部分で，幸恵は「ainuのituituyeを日本語で何と云ふのか私はいくら考へても思ひ付けませんのでそのままにしておきました」と，欄外に注記した．それに対して金田一が「御尤デス，籤スルト申シマス」と答えている．しかし，この籤という字を，幸恵は籤る道具であるmuiの訳語としてもあててしまった．正しくは箕であるので，ここは誤記と判断して箕に修正し，「み」とルビを振っておくことにする．また，初版にこの誤りがあることを以て，国語学者である金田一が初版の校正を行ったとは考えられないということを，北道は指摘している．

3) 旧版では55ページから57ページにかけて，檝という文字が4回，舵という文字が1回使われている．これらは初版通りの表記である．いずれもアイヌ語kanchiの訳であり，kanchiは日本語「かじ」から来ていると考えられる．舵も檝も舟のかじを表わす文字であるので，ふたつの文字が不統一であるという以外に問題はなさそうな気がする．しかし，55ページ19-21行目の描写では，「手の下でその［オキキリムイの］持っていた檝が折れてしまいました．すると，疲れ死んだサマユンクルに踊りかかりその持っている檝をもぎとって」となっている．これはどう見ても，舵ではなく櫂を表わしていると見てよさそうである．

諸辞書を見ると，久保寺（1992）『アイヌ語・日本語辞典稿』では，kanchiに対して「車櫂」という訳が与えられており，バチェラー（1938）*An Ainu-English-Japanese Dictionary* でも，「櫂．n. Oars. Sculls.」と記されている．切替（2003：202-203）でも，『神謡集』のこ

の部分について「かじ（おそらく車櫂．日本語の「舵」に由来するか）」と指摘している．

　これに関して，アイヌ美術史家の佐々木利和氏から秦檍丸（はたのあわきまろ）(1823)『蝦夷生計図説』の「カンヂの図」の項に，明らかに「車櫂」とわかる図とともに，「これをカンヂと称し，左右のタカマヂにさしこみて舟をこぐ，カンヂと称する事，其の義末だ詳ならず，考ふべし，ただし奥羽両国ならびに松前とふの猟船に此の具を用るもありてくるまかひといふ」（原文を少し読みやすく書き直した）とあることをご教示いただいた．ということで，少なくとも 19 世紀初頭以来，車櫂をアイヌ語で kanchi と呼んでいたことは明らかである．

　つまり知里幸恵の頭にあったのは，いわゆる「車櫂」であるが，それを指すアイヌ語である kanchi に対して，そのまま日本語の「かじ」にあたる漢字を当てたものと考えて良い．

　ちなみに，『ノート』のここに当たる部分で使われているのは舵だけで，櫂は使われていない．しかも，最初に出てきたところでは，まず木偏に舟と書いて横線で消し，次に航と書いて消し，最後に舵と書いて，わざわざ横に「かぢ」とフリガナを振ってある．

　以上のことから，新版では表記としては「舵」で統一し，ただし実際に指しているのは「車櫂」であることをここに注記しておくことにする．

4)　この部分は『ノート』でも「コ…」となっていて，幸恵自身の表記であると思われるのだが，対応するアイヌ語のローマ字表記では「cho cho……」となっており，そのまま読めば「チョチョ」になるはずである．またここは犬を呼ぶ表現だが，それもアイヌ語においては「チョチョ…」と言うのが一般的である．表記はそのままにしておくが，そのことを〔原文ママ〕として注記しておきたい．

5)　これについては北道(2002 : 25)が指摘している．文脈からも，原文 sinrichihi の訳としても「気性」は適切ではなく，「素性」の誤植であると考えられる．なお，『ノート』でこれに当たる部分は oshi ingarashawa「後を見返ると」という別の表現になっている．

194

5. 旧版日本語表記の修正

　次に，初版の表記を旧版でわざわざ変更したことによる誤り
と，初版では誤植・誤記とは言えないが，新版にするにあたっ
て改訂したほうが良いと判断したものを一覧する．

頁-行	初版	旧版	新版	注記
11-16	美い鳥	美しい鳥	美い鳥	1)
17-15	窻	窻	窓	2)
19-16	〃	〃	〃	
20-脚注	〃	〃	〃	
31-脚注	〃	〃	〃	
99-15	〃	〃	〃	
119-07	〃	〃	〃	
119-09	〃	〃	〃	
121-14	〃	〃	〃	
71-19	椽	椽	縁	3)
113-21	勇マシイ	勇マシイ	勇ましい	4)

1)　北道(2002 : 21)で，『ノート』のここに当たる部分では，「美」の字
　の横に「イ」というルビが振ってあることが指摘されている．つま
　り，「うつくしい鳥」ではなく，「いい鳥」と読むべきものであり，
　「美しい」と送り仮名を振ってはいけないものであった．したがって，
　ここでは送り仮名を初版に戻すとともに，「美」に「い」というルビ
　を振っておくことにする．
2)　初版では「窓」の異体字で書かれており，異体字は新字体には改
　めないという原則によって，そのまま旧版に受け継がれたようだが，

『ノート』のここに当たる部分では，幸惠は「窓」と書いている．いずれにしろ，異体字も当用漢字に直すという新版の原則に従って，ここでは「窓」に直す．

3)　ここは鍋の「縁」を指しているところで，初版では「橡」となっており，『ノート』の相当部分でもこの字が書かれている．この文字は本来「たるき」を指すらしいが，「えん」と読んで「縁側」の意味にも使うらしい．あるいは「ふち」を表わす糸偏の「縁」という字もあるので，それと混同していた可能性もある．いずれにせよ当用漢字の「縁」に変更しておく．

4)　ここだけ「勇マシイ」とカタカナ表記になっているが，前後の文脈から言っても，カタカナにする必然性は無いし，『ノート』でもこの部分は「勇ましい」とひらがなになっている．その直前が，海の神の呼称である「トミンカリクル　カムイカリクル　イソヤンケクル」というカタカナの連なった部分なので，その流れでカタカナで組んでしまった可能性もあるだろう．

6.　ルビの追加と修正

初版には 45 ページ 9 行目の「杭」を除いてルビはいっさい振られておらず，それ以外の旧版にあるルビはすべて岩波文庫に収録される際に加えられたものと思われるが，その中には適切でないものもあり，また朗読する際に必要とされるような箇所にルビが振られていない例も多い．知里幸惠が本来どのように読ませるつもりだったか不明な部分もあるが，現代において，『神謡集』を朗読する機会などが日々多くなってきていることを鑑み，あえて積極的にルビを加えていくことにした．新版で追加したものを以下に一覧する．なお，本文に表示したルビ以外で他に考えられる読みは注記に挙げておく．

頁-行	旧版	新版ルビ	注記／他の読み
3-03	天真爛漫	てんしんらんまん	
3-03	稚児	ちご	
3-05	寵児	ちょうじ	
3-06	陸	おか	りく
3-06	深雪	みゆき	しんせつ
3-08	涼風	りょうふう	
3-09	漁り	と	いさ，あさ，すなど
3-11	野分	のわき	のわけ
3-13	嗚呼	ああ	
3-14	境	きょう	
3-17	何時	いつ	
4-02	鈍り	にぶ	
4-10	場裡	じょうり	
4-10	醜	しゅう	
4-12	歩	あゆみ	ほ
4-15	起伏す	おきふ	
4-16	古し	ならわ	ふる
4-17	果敢なく	はか	1)
4-18	消失せ	きえう	
4-21	打集うて	うちつど	
4-22	拙ない	つた	
11-01	梟	ふくろう	
17-11	木片	こっぱ	
37-06	〃		〃
17-21	央	なかば	2)

95-05	〃	〃	
125-16	〃	〃	
135-16	〃	〃	
23-07	冑	よろい	
31-14	興がり	おもしろ	
37-11	交うて	こ	
43-01	鵜	う	
49-04	籤て	ひ	
49-09	〃	〃	
59-19	雁皮	がんぴ	
89-22	榛	はん	3)
113-15	游いで	およ	
125-07	盛	さかん	
129-10	悪戯	いたずら	
131-05	上座	かみざ	
131-14	芥捨場	ごみすてば	4)
135-15	槌	つち	
146-脚注	筵	むしろ	
147-06	水汲路	みずくみみち	
147-09	蒲	がま	
155-14	憫み	あわれ	

1) 「果敢なく」のルビを「あえ」→「はか」と修正した.
2) 旧版では「央」には一貫して「なか」というルビが振られている
   が,「腰のなかをギックリ屈めて」というより,「腰のなかばをギッ
   クリ屈めて」というほうが適切だと判断し,「なかば」と修正する.
3) 旧版では「榛」に「はしばみ」というルビが振られている. しか

しこれにあたるアイヌ語は kene であり,「はんのき」を指す. そも
そも「榛」という字にもともと「はしばみ」と「はん」の双方の読
みが当てられているので紛らわしいのだが,「はんのき」は木質部が
赤いので造血剤として用いられ,また樹皮は赤い染料としても使わ
れる. そのことが, このホテナオという物語の最後で, 素性を明か
された小男が「赤い」魚となって泳ぎ去るということにつながるの
で,「はしばみ」では意味をなさない.
4) 旧版では「芥捨」に「あくすて」とルビが振ってあるが,「芥」は
「ごみ」とも読む. また, 北海道方言では「あく」というのは通常
「灰」のことを指し, ゴミ捨て場には灰は捨てないので, ここは「ご
みすてば」と読んでおくべきである.

なお旧版では読みやすさを考慮して, 初版に対して次のよう
な変更を行っている.
日本語
• 句読点・送り仮名の変更.
•「其」→「その」,「或る」→「ある」などのように付属語的
な語の漢字をかなに開く.
• 目次の表記を本文に合わせる.
• サケへの分かち書きをローマ字表記に合わせる.
アイヌ語
• 同一の表現や対句表現の分かち書きを統一する.
• 適宜句読点を補う.
• 文頭や固有名詞的な語の語頭を大文字表記で統一する.
これらについては, 一部修正を加えつつこの新版でも基本的
に旧版に従った. ただし旧版では, 初版の誤記・誤植とは言え

ない表現にも手を入れている箇所があり，それらについては初版の姿に戻した．

　なお，分かち書き以外の綴りの違いについては統一はせず，初版の表記のままにしてある．たとえば，「見ると」という表現は，36-12 では chinukat chiki，42-18 では chinukar chiki となっているが，これはどちらも正しい形であって，このような場合，どういう意図で書き分けてあるのかについてはいくつかの解釈があり得るため，あえて補訂者の判断は加えないことにする．また，同一語句等の分かち書きについても，どの形に統一すべきか判断に苦しむような場合は，初版の表記のままにしてある．

〔補訂者追記〕　本補訂新版の第 2 刷（2023 年 9 月 15 日）発行後，読者より本書の著者名表記，アイヌ語の表記等についてご指摘を頂いた．第 3 刷の発行にあたり，以下，「II.『知里幸惠　アイヌ神謡集』という表示について」の記述を一部改め，新たに「III. アイヌ語の表記について」を加筆した．

II.『知里幸惠　アイヌ神謡集』という表示について

　岩波文庫旧版では，本書の表示は「知里幸惠編訳『アイヌ神謡集』」となっていた．しかし，これは初版の表示とは異なる．郷土研究社発行の初版では，表紙においては「知里幸惠編」となっており，奥付では「著作者　知里幸惠」となっているのである．

　旧版で「編訳」としたのは，本書はアイヌ語が原文であり，それは幸恵自体の著作ではなく伝承されたものである．そしてそれを日本語に訳出したことが幸恵の功績であるという判断に基づくものであろう．しかし，北道(2002)は，初版の「編」の方に問題があり，知里幸恵は本書の著者と考えるべきであると論じた．

　補訂者である中川も基本的に北道と同意見で，「知里幸恵著」と改めてはどうかと考えており，本補訂新版の企画段階において，この点をめぐり岩波文庫編集部との間で話し合いを行った．しかし，岩波文庫編集部によれば，岩波文庫の赤帯(外国文学)においては，「著」という表記は，随筆や日記などのごく一部の著作に限定されており，小説をはじめ多くは創作者としての表記形式である「作」か，もしくは「角書き」という，氏名のみを書名の前に置く表記形式がとられているとのことであった．このうち，「作」という形式を適用して「知里幸恵作」とした場合，『アイヌ神謡集』に収められた神謡が先祖から語り伝えられた伝承文芸であるという側面を見えなくさせてしまう恐れがあるため採用しなかった．

　一方，岩波文庫編集部によれば，岩波文庫において角書きの形式は古典中の古典といえる作品にしばしば適用される独自の表記形式であり，その作品の唯一無二の表現者であることへの敬意を示す形式でもあるという．今回，補訂新版を刊行するにあたり，『アイヌ神謡集』においてもその角書きの形式を適用し，『知里幸恵　アイヌ神謡集』という表記に改めたいとの提案

が編集部よりあった．提案にあわせ，一例として，角書きの形式はギリシャ古典などに適用されており，その中にはホメロスのイリアスも含まれていることが示された(松平千秋訳『ホメロス　イリアス』)．

　中川(1997)や北道(2002)が論じている，神謡を含む口承の物語の特性に関する見解は，アルバート・ロード(1960)『シンガー・オブ・テイルズ』という，口承文芸研究の古典的な名著に基づく部分が大きい．ロードはホメロスがイリアスなどを「創作」したのか，それとも「伝承」したのかという問題を追究し，叙事詩というものは固定した歌詞の歌を歌うのとは異なり，ただ聞き伝えたものを丸暗記して口述するものではなく，語り手自身がその都度即興で演ずるものであり，韻律上の規則に則りながら，常套句などを駆使して，語りの場で作品を作り出していくものだということを明らかにした．

　そしてイリアスなどの叙事詩は悠久の時を経て口から口へと語り伝えられたものであり，ホメロスは小説的な意味での物語の作者ではなく，その優れた伝承者であり創造的表現者であることを明らかにした．神謡もまさにそのような過程で伝承・表現されてきたものであり，このホメロスと同じポジションに立つ人物として知里幸惠を位置づけるという考え方から，本補訂新版では『ホメロス　イリアス』という表記に合わせて，『知里幸惠　アイヌ神謡集』という角書きによる表示を行うこととした．

　その一方で，ホメロスと知里幸惠の本質的な相違として，彼

女がその伝承を文字によって著したということが重要ではない
か，『アイヌ神謡集』は文字による初めてのアイヌ語の作品と
して，アイヌ文学史上に無二の位置を占めていることを重視す
べきではないかとの首肯すべき指摘も読者よりあり，第3刷の
重版に際し，奥付に「著者　知里幸惠」と明記して，正式に著
者として彼女を位置づけることとした．

　「著」という表記が前述のように限定された使い方になってい
るのは，岩波文庫の外国文学(赤帯)における表記上の制約に
よるものであり，日本文学(緑帯)などとは状況が異なる．そこ
で，この『アイヌ神謡集』は外国文学に入れるべきものなのか
という議論が当然生じる．日本文学者などからは『アイヌ神謡
集』を日本文学の枠内に入れるべきだという意見も出ているが，
アイヌ側からはその反対の意見もある．私自身は，アイヌ文学
は日本文学でも外国文学でもないのだから，むしろ「アイヌ文
学」という枠を新しく作って，『アイヌ神謡集』や知里真志保
の『アイヌ民譚集』などを，その「アイヌ文学」枠で独立させ
ればよいのではないかと思うが，それは今後のアイヌ文学の振
興ということにも関わってくる問題であり，さらに議論を深め
ていくべきことであろう．

III.　アイヌ語の表記について

1.『アイヌ神謡集』のローマ字表記について

　『アイヌ神謡集』のアイヌ語の部分は，いわゆるヘボン式の

ローマ字表記で書かれている．ヘボン式表記は，現代において
アイヌ語の一般的な表記法になっている「音素表記」とはいく
つかの点で異なるので，ここで説明しておくことにする．

　音素表記はひとつの音（素）にひとつの文字を当てることを原
則としており，その点で日本語の訓令式ローマ字表記に近い．
ヘボン式表記と音素表記が違うのは，下記のような点である．

ヘボン式表記	sh	ch	音節末の i	音節末の u
音素表記	s	c	y	w

　たとえば「泣く」という動詞はヘボン式で chish，音素表記
で cis となる．これは 1 音 1 文字の原則に従ったものである．

　また，ヘボン式では ainu「人間」，kamui「カムイ，神」と
書かれていたのが，音素表記では aynu，kamuy となり，ohau
「汁，鍋物」，mau「風」と書かれていたのが，音素表記では
ohaw，maw と書かれる．音素表記ではこの位置の i や u を音
節末の子音と見て，母音の i や u と区別するために，それぞれ
y，w という表記を与えたものである．

　音節についてここで説明するのは難しいが，簡単に言えば単
語を切って発音する時の，ひとまとまりの単位である．同じよ
うな形をした単語であっても，言語によって音節の区切り方は
異なる．たとえばアイヌという単語を日本語で区切れば，ア・
イ・ヌと 3 つに区切ることになるだろうが，アイヌ語ではアイ
イ・ヌのように 2 つに区切る．ひとつの音節に母音はひとつな

ので，アイという音節のイは母音ではない．そこで ainu では
なく，子音記号である y を用いて aynu と表記するのである．

　また，『神謡集』では，inunbe「炉縁」，ande「～を置く」，
ingar「見る」など，b，d，g という文字を使って表記してい
る箇所もあるが，アイヌ語には音素として b と p，d と t，g
と k の区別はないので，音素表記ではどのように発音しよう
と p，t，k で書くことになっている．

2. スペースの意味について

　本書収録の知里真志保「神謡について」で説明されているよ
うに，神謡はサケヘ（「神謡について」では「折返」と呼ばれ
るそれぞれの話固有のフレーズを繰り返しながら，その間に本
文を挟んで，メロディをつけて謡うように語られる．それぞれ
の話のサケヘは，狐が自ら歌った謡「トワトワト」のように表
題において「　」に入れて表わされ，また本文の冒頭にも表示
されている．

　たとえば，狐が自ら歌った謡は，実際には次のように語られ
たと考えられる．

　towa towa to shineanto ta
　towa towa to armoisam un
　towa towa to nunipeash kusu

　あるいはこの話の場合には，各句の後ろにサケヘがついて，

次のように語られた可能性も高い.

shineanto ta　towa towa to
armoisam un　towa towa to
nunipeash kusu　towa towa to

　このようにサケへは各句の前あるいは後ろに置かれるが, 句ごとにかならず繰り返されるわけではなく, 時に省略されて何句かがサケへ抜きで連続して語られることもあり, また長いサケへの場合にはむしろ時々思い出したように挿入される場合もある. 第1話の「銀の滴降る降るまわりに」のサケへに関してはもう少し複雑な問題があるが, それについては中川裕 (2022) で詳しく説明しているので, そちらを参照していただきたい.
　さて, ここで句と呼んでいるひとかたまりのフレーズは, 本文をおおよそ5音節ないし4音節の区切りでまとめたものである. これは神謡に限らずアイヌ語の韻文の一般的な原則である. トワトワトを例にとれば, shi-ne-an-to-ta (5), ar-moi-sa-mun (4), nu-ni-pe-ash-ku-su (6) のようになる. 最後の nunipeash kusu は6音節だが, kusu を kus のように発音して, 5音節にしていた可能性もある.
　『アイヌ神謡集』においては, 単語と単語の切れ目がスペース1個分で表されているのに対し, この句の切れ目はスペース2個分で表示されている. トワトワトの本文も,

　Shineanto ta　armoisam un　nunipeash kusu

206

のように，1字スペースと2字スペースで語の切れ目と句の切れ目が区別されている．上記のサケヘを各句ごとに入れた形も，これを手掛かりにして再現したものである．

　ただし，初版では全文がそのように上記の原則にぴったり合う形で表記されているわけではない．2字スペースが適当だと思われる個所が1字スペースになっていたり，その逆になっている部分もある．しかしそれをこちらの判断で誤植として修正してしまうのはいささか危険である．実際の語りの場では音節数が原則に合わない場合でも，いろいろなテクニックでそれをメロディに合わせて詰め込んだり引き延ばしたりして語るのであり，そういった幸恵のリズム感に従って表記されているのかもしれず，余計な解釈はそれを見えなくしてしまう可能性がある．

　また，たとえば66-18の ari anko oyakta terke「ここまでで話は外へ飛ぶ」は，すべて1字スペースになっている．原則に従えば a-ri an-ko で4音節の句，o-yak-ta ter-ke で5音節の句になるので，anko と oyakta の間を2字スペースにして句を分ければ良いようにも思えるが，話の流れからしてこの部分だけは節をつけずに散文で語っていることも考えられ，そのためにあえてすべて1字スペースにしてあるという可能性もある．このようなことから補訂版第3刷以降では，句の切れ目について補訂者が解釈を加えることはせず，初版に準じた形に統一した．

　また，初版と文庫版では判型が異なるため，初版と同じ行割にすることは困難である．そこで初版の1行が文庫版内で1行

に収まりきれない場合には，句の切れ目で次の行に送り，行頭を少し下げている．逆に1字目から始まっているところは，初版でも行頭だと思っていただいてよい．

参照文献

北道邦彦(2002)「『アイヌ神謡集』初版本の本文について」知里真志保を語る会編(2002)3-25

切替英雄(2003)『アイヌ神謡集辞典』大学書林

久保寺逸彦(1992)『アイヌ語・日本語辞典稿』北海道教育委員会：(2020)草風館

知里森舎「知里幸恵ノート」刊行部編(2002, 2023)『復刻版「知里幸恵ノート」』知里森舎

知里真志保を語る会編(2002)『爐邊叢書　アイヌ神謡集　知里幸恵編　大正十二年八月十日発行　郷土研究社版　復刻版』

知里幸恵(1984)『銀のしずく　知里幸恵遺稿』草風館

中川裕(1997)『アイヌの物語世界』平凡社(改訂版 2020)

中川裕(2022)『100分de名著　知里幸恵　アイヌ神謡集』NHK出版

秦檍丸(1823)『蝦夷生計図説』：(1990)北海道出版企画センター

藤本英夫(1973)『銀のしずく降る降る』新潮選書

北海道教育庁社会教育部文化課編(1982-1986)『知里幸恵ノート』北海道教育委員会

Batchelor, John.(1938). *An Ainu-English-Japanese Dictionary. 4th ed.* Tokyo: Iwanami

Lord, Albert.(1960). *The Singer of Tales.* Harvard University Press

解　説

中　川　　裕

I. 知里幸惠の生涯

　知里幸惠は 1903 年 6 月 8 日，北海道幌別郡（現在の登別市）で，知里高吉，ナミ夫妻の長女として生まれた．6 歳の時に母親の姉である金成マツに預けられ，幌別を離れて旭川近文でマツと祖母のモナシノウクとともに暮すことになる．金成マツは後に膨大な量のアイヌ語のテキストを自ら書き残し，「金成マツノート」として現在でもその解読と翻訳が続けられている．モナシノウクも金田一京助に「私が逢ったアイヌの最後の最大の叙事詩人」と言わしめた人物であった．1903 年生まれというのは，アイヌ語の母語話者としては最後の世代くらいにあたる．幸惠のアイヌ語とアイヌ文学に対する深い造詣は，このアイヌ口承文芸の大伝承者である二人と暮す中で育まれていったものであることは間違いない．

　また，彼女には高央，真志保というふたりの弟がおり，特に真志保は東京大学文学部を卒業後，北海道大学文学部教授としてアイヌ語学・アイヌ民俗学に多大な功績を残した人物である．現在幌別方言は，アイヌ語の中でも記録され残された資料がとりわけ多い方言のひとつだが，そのほとんどはこの幸惠を中心とする知里・金成家の人々によるものであることは，銘記すべ

きことである.

　幸恵は 14 歳で旭川区立女子職業学校に入学. 15 歳の時, 近
文の家に金田一京助が祖母モナシノウクを訪ねてきて, その夜
彼女らの家に宿泊することになった. 翌朝, 金田一にユカ_ラを
研究することの意義を聞かされた幸恵は, アイヌの伝承を後世
に残すことを自分の生涯の仕事と決意するようになる. その経
緯は金田一の「近文の一夜」『心の小径』(角川書店, 1950)とい
う随筆に描かれ, 多くの人の心に刻まれている.

　その後, 金田一は彼女に 3 冊のノートを送り, 自由にそのノ
ートを使って自分の覚えていることを書きつけるように勧めた.
その際アイヌ語をローマ字で表記するように言われた幸恵は,
自力でローマ字を学び, 自分の覚えているさまざまなアイヌ語
の伝承をノートに書きつけて, 1921 年の 4 月から 9 月にかけ
て金田一に送った. このノートは後に金田一家に残されていた
のを, 幸恵・真志保姉弟の評伝を書いた考古学者の藤本英夫に
よって発見され, 世に紹介された. ただし 3 冊のうちの 1 冊は
当時から所在不明のままである.

　ノートを見た金田一は大いに感心し, 柳田国男が創刊した
「炉辺叢書」の一冊として, ぜひ出版するようにと幸恵に勧め,
彼女に上京を促した. しかし, 彼女には心臓に持病があり, 当
時の交通環境で北海道から東京に出てくるというのは, あまり
にも負担が大きすぎたので, 最初のうちは断っていた. しかし,
まだ世間に名も何も知られていない地方在住の一介の女性が書
いたものを, 東京で出版してくれるなどという機会は, 現代で

もめったにあることではない．ついに幸恵は決意し，1922 年 5 月に上京．金田一家に寄宿することになる．

　『アイヌ神謡集』の「序」の日付は大正 11 (1922) 年 3 月 1 日となっており，また金田一の「故知里幸恵さんの追想」『北の人』(青磁社，1942) という随筆には，「その第一集の神謡集の原稿をまとめて私の手元によこされたのは，十一年の三月ごろでした」とある．その前年に送られていた前述のノートの中には，『神謡集』に収められている 13 編の神謡がすべて含まれているが，明らかに『神謡集』とは別バージョンである．すなわち，幸恵は上京に先立ち，新たに『神謡集』の原稿を書き直して金田一に送ったものと思われる．

　しかし，出版はなかなか進まなかった．1922 年 7 月 17 日付の両親宛の手紙には「私の炉辺叢書はまだ出来ません．肝腎の渋沢法学士が御結婚の為に少々延びたのださうです．主催者柳田国雄さんは只今洋行中なのださうです」とある．渋沢法学士というのは，渋沢栄一の孫で，日本常民文化研究所の前身であるアチック・ミューゼアム創始者の渋沢敬三のことである．金田一によるとその渋沢が「神謡集の原稿をそのまま活版屋へやるのを惜しまれて，タイプライターで打たしてくだすった」ということで，「少々延びた」というのは，このタイプ原稿の作成が遅れているということだと考えられる．

　それがやっとできてきたのは，9 月 13 日のことで，その翌日の 14 日付の両親宛の手紙に，「私のカムイカラ〔神謡のこと〕の本も直きに出来るようです．昨日渋沢子爵のお孫さんがわざ

わざその原稿を持って来て下さいまして，誤りをなほしてもう
こんど岡村さん〔岡村千秋：「炉辺叢書」の出版元である郷土研究社を
切り盛りしていた人物〕といふ所へまはって，それから印刷所へ
まはるさうです」と書いている．

　幸恵はこのタイプ原稿の校正にとりかかり，4日後の9月18
日にそれをすべて終えたところで体調が急変，心臓発作を起こ
して急逝した．享年19歳であった．遺骨は東京の雑司ヶ谷霊
園に葬られたが，1975年に登別市富浦墓地に改葬され，伯母
である金成マツの碑の隣で眠っている．彼女が文字通り命をか
けて書き上げた『アイヌ神謡集』が刊行されたのは，翌年の
1923年8月10日のことであった．

II.『アイヌ神謡集』の意義

　『アイヌ神謡集』は，アイヌ自身が初めてアイヌ語で書いて
刊行した書籍として，歴史的に大きな意味を持っている．アイ
ヌ自身の手で文字化されたものということであれば，それ以前
にも雑誌に掲載された資料や，書簡などの形で無いわけではな
いが，やはりこのように百年後にも読み継がれる一冊の本とい
う形で公刊された意義は大きい．

　しかし，それにも増して『神謡集』が画期的であったのは，
まずそのアイヌ語の正確さである．幸恵は金田一京助の勧めに
よって，独学でローマ字を習得した．アイヌ語のローマ字表記
は金田一自身も当時すでに行っていたし，それ以前にイギリス
聖公会の宣教師であるジョン・バチェラーによって，辞書やア

知里幸恵(1903-1922)
写真提供：知里森舎／知里幸恵 銀のしずく記念館

イヌ語訳聖書などが書かれている．ちなみに幸恵の母ナミも，
伯母金成マツも，バチェラーの下でキリスト教の伝道師となっ
ており，幸恵自身もクリスチャンである．彼女がそのバチェラ
ーの表記法に従ったとしてもまったく不思議はなかったが，彼
女は自力で独自の書き方を生み出した．それが音節末のrとr
+母音を区別する表記法である．

　たとえば，「美しい」という単語はそれまでpirikaと書かれ
ていたのだが，幸恵はpirkaと表記した．このriとrの間に違
いがあることを，それまで金田一もバチェラーも気がついてい
なかった．実際，幸恵のおかげでその間に区別があることを理
解している我々でも，聞き分けるのに苦労する違いである．そ
れは彼女が母語話者であったからこそ気づいたということは確
かだが，その言葉が話せるからといって誰にでもその違いを書
き表せるというようなものではない．『神謡集』以降，金田一
の表記法は幸恵の表記法に沿ったものに改められ，それは現代
のアイヌ語学に引き継がれている．

　アイヌ語だけでなく，日本語の表現力もまた素晴らしいこと
は，有名な「序」を読めば明らかだが，残された手紙や日記な
どからも，その文才はすぐに見てとることができる．女子職業
学校という，裁縫などの技術の習得を中心とすると思われる学
校に進学しながら，どのようにしてこのような文学的素養を身
につけたのか？

　その両方の言葉の能力を合わせ持つ力は，たとえば第6話の
「ホテナオ」に出てくる shinnupur kusu の訳にも現れている．

我々であれば「あたりに力があるから」などと訳してしまうところだが，それを幸惠は「尊いえらい神様や人間が居ったから」と訳す．またその反対の shirpan kusu を「時代が衰えたから」と訳す．このような自由闊達な訳し方は，まさにその言葉の意味を本当に理解し，かつそれを的確に日本語で表せる人間にしかできない．アイヌ語の訳出に 40 年以上関わってきた経験からして，私には到底到達できない境地であることがよくわかる．

　このように，『アイヌ神謡集』はただ歴史的な著作として価値があるのではなく，汲めど尽きせぬ，アイヌ語とその日本語表現の永遠の古典なのである．

III.　知里幸惠の業績と関連書籍

　藤本英夫は 1973 年に出版した知里幸惠の評伝『銀のしずく降る降る』(新潮社)の冒頭部分で「いま，この少女の名前を知っている人はほとんどいない」と書いている．没後 50 年の時点では，そのような状況だったのだ．実際問題として，彼女のことが現在のように多くの人に知られるようになったのは，藤本のこの評伝と，1978 年に『アイヌ神謡集』が岩波文庫に収録されたことが非常に大きいと思われる．

　金田一京助は『神謡集』初版の刊行にあたり，本文庫にも収録されている「知里幸惠さんのこと」という一文を巻末に寄せた．そしてこの『神謡集』について「唯この宝玉をば神様が惜んでたった一粒しか我々に恵まれなかった」という一文で締め

くくった．美しく心に響く名文である．しかし，この言葉は事
実を示したものではなかった．実際には知里幸恵は『神謡集』
以外にも数々の伝承をアイヌ語で書き残しており，それらはそ
の後さまざまな形で刊行されている．その主なものを下記に挙
げる．

> 「蘆丸の曲」―金田一京助筆録・訳注(1968)『アイヌ叙事
> 詩ユーカラ集』VIII，三省堂
>
> 「ポンヤウンペ・ユーカラ『オマンペシ・ウン・マッ』」―
> ポン・フチ(1976)『アイヌ語は生きている』新泉社
>
> 『知里幸恵ノート』―北海道教育庁社会教育部文化課編
> (1982-1986)全5巻
>
> 「Penampe newa Panampe」他2編―北道邦彦編注・補訳
> (2004)『知里幸恵のウウェペケレ(昔話)』北海道出版企
> 画センター
>
> 「ケソラッの神」他1編―北道邦彦編・訳(2005)『知里幸
> 恵の神謡　ケソラッの神・丹頂鶴の神』北海道出版企画
> センター

彼女の手紙と日記も活字化されて刊行されている．

> 知里幸恵(1984)『銀のしずく　知里幸恵遺稿』草風館

幸恵生誕100年を迎えた2003年には，『アイヌ神謡集』の注
解書，辞書，また実演の試みとして次のようなものが刊行され
ている．

　　切替英雄編著(2003)『アイヌ神謡集辞典』大学書林
　　北道邦彦編注(2003)『注解　アイヌ神謡集』北海道出版企
　　　　画センター
　　片山龍峯(2003)『「アイヌ神謡集」を読みとく』草風館
　　片山龍峯・中本ムツ子(2003)『「アイヌ神謡集」をうたう』
　　　　(CD3枚組)，片山言語文化研究所

　　その翌年には知里幸惠関連の刊行物等を一覧した書誌が刊行
された．
　　知里森舎編(2004)『知里幸惠書誌』知里森舎

　　また，幸惠の弟，高央の娘である横山むつみ創設の「知里森
舎」を中心とした草の根運動的な募金活動によって，2010年，
知里幸惠の故郷である登別市に「知里幸惠　銀のしずく記念
館」が開設された．同館は彼女の業績を紹介し，アイヌ文化を
広く伝えていくことを目的として，彼女の遺品などを展示する
とともに，さまざまなイベントを行っている．横山むつみが初
代館長を務め，2023年現在，その娘の木原仁美が第3代館長
となっている．

　　　　　　　　　　　　　（なかがわひろし　千葉大学名誉教授）

知里幸恵 アイヌ神謡集

| 2023 年 8 月 10 日 | 第 1 刷発行 |
| 2024 年 11 月 15 日 | 第 3 刷発行 |

著　者　　知里幸恵

補訂者　　中川　裕

発行者　　坂本政謙

発行所　　株式会社　岩波書店
　　　　　〒101-8002 東京都千代田区一ツ橋 2-5-5

　　　　　案内 03-5210-4000　営業部 03-5210-4111
　　　　　文庫編集部 03-5210-4051
　　　　　https://www.iwanami.co.jp/

印刷・三陽社　カバー・精興社　製本・松岳社

ISBN 978-4-00-320809-0　　Printed in Japan

読書子に寄す
—— 岩波文庫発刊に際して ——

真理は万人によって求められることを自ら欲し、芸術は万人によって愛されることを自ら望む。かつては民を愚昧ならしめるために学芸が最も狭き堂宇に閉鎖されたことがあった。今や知識と美とを特権階級の独占より奪い返すことはつねに進取的なる民衆の切実なる要求である。岩波文庫はこの要求に応じそれに励まされて生まれた。それは生命ある不朽の書を少数者の書斎と研究室とより解放して街頭にくまなく立たしめ民衆に伍せしめるであろう。近時大量生産予約出版の流行を見る。その広告宣伝の狂態はしばらくおくも、後代にのこすと誇称する全集がその編集に万全の用意をなしたるか、はた千古の典籍の翻訳企図に敬虔の態度を欠かざりしか。さらに分売を許さず読者を繋縛して数十冊を強うるがごとき、はたしてその揚言する学芸解放のゆえんなりや。吾人は天下の名士の声に和してこれを推挙するに躊躇するものである。この際断然実行することにした。吾人は範をかのレクラム文庫にとり、古今東西にわたってその計画を慎重審議この際断然実行することにした。吾人は範をかのレクラム文庫にとり、古今東西にわたって文芸・哲学・社会科学・自然科学等種類のいかんを問わず、いやしくも万人の必読すべき真に古典的価値ある書をきわめて簡易なる形式において逐次刊行し、あらゆる人間に須要なる生活向上の資料、生活批判の原理を提供せんと欲するこの文庫は予約出版の方法を排したるがゆえに、読者は自己の欲する時に自己の欲する書物を各個に自由に選択することがである。携帯に便にして価格の低きを最主とするがゆえに、外観を顧みざるも内容に至っては厳選最も力を尽くし、従来の岩波出版物の特色をますます発揮せしめようとする。この計画たるや世間の一時の投機的なるものと異なり、永遠の事業として吾人は微力を傾倒し、あらゆる犠牲を忍んで今後永久に継続発展せしめ、もって文庫の使命を遺憾なく果たさしめることを期する。芸術を愛し知識を求むる士の自ら進んでこの挙に参加し、希望と忠言とを寄せられることは吾人の熱望するところである。その性質上経済的には最も困難多きこの事業にあえて当たらんとする吾人の志を諒として、その達成のため世の読書子とのうるわしき共同を期待する。

昭和二年七月

岩波茂雄

《イギリス文学》〔赤〕

〰〰〰 岩波文庫の最新刊 〰〰〰

ベティ・フリーダン著／荻野美穂訳

女らしさの神話（上）（下）

女性の幸せは結婚と家庭にあるとする「女らしさの神話」を批判し、その解体を唱える。二〇世紀フェミニズムの記念碑的著作、初の全訳。（全二冊）（白二三四-一、二）定価（上）一五〇七、（下）一三五三円

太宰治作／安藤宏編

富嶽百景・女生徒 他六篇

昭和一一～一五年発表の八篇。表題作他「華燭」「葉桜と魔笛」等、スランプを克服し〈再生〉へ向かうエネルギーを感じさせる。〈注＝斎藤理生、解説＝安藤宏〉（緑九〇-九）定価九三五円

ヘルダー著／嶋田洋一郎訳

人類歴史哲学考（五）（全五冊）

第四部第十八巻～第二十巻を収録。中世ヨーロッパを概観。キリスト教の影響やイスラム世界との関係から公共精神の発展を描く。（青N六〇八-五）定価一二七六円

栗田靖編

…… 今月の重版再開

碧梧桐俳句集

（緑一六六-一）定価一二七六円

穂積陳重著

法窓夜話

（青一四七-二）定価一四三〇円

定価は消費税10％込です　　　2024.9

デリダ著/藤本一勇訳

ア デ ュ ー
――エマニュエル・レヴィナスへ――

レヴィナスから受け継いだ「アデュー」という言葉。デリダの応答は、その遺産を存在論や政治の彼方にある倫理、歓待の哲学へと導く。

〔青N六〇五-二〕 定価一一一〇円

ヘリオドロス作/下田立行訳

エティオピア物語
（上）

ナイル河口の殺戮現場に横たわる、手負いの凜々しい若者と、女神の如き美貌の娘――映画さながらに波瀾万丈、古代ギリシアの恋愛冒険小説巨編。（全二冊）

〔赤一二七-一〕 定価一〇〇一円

永井荷風著/
中島国彦・多田蔵人校注

断腸亭日乗（二）大正十五―昭和三年

永井荷風（一八七九―一九五九）の四十一年間の日記。（二）は、大正十五年より昭和三年まで。大正から昭和の時代の変動を見つめる。〔注解・解説＝中島国彦〕（全九冊）

〔緑四二-一五〕 定価一一八八円

ゲルツェン著/金子幸彦・長縄光男訳

過 去 と 思 索（四）

一八四八年六月、臨時政府がパリ民衆に加えた大弾圧は、ゲルツェンの思想を新しい境位に導いた。専制支配はここにもある。西欧への幻想は消えた。（全七冊）

〔青N六一〇-五〕 定価一六五〇円

…… 今月の重版再開 ……

ディオゲネス・ラエルティオス著/加来彰俊訳

ギリシア哲学者列伝（上）(中)(下)

〔青六六三一-一〜三〕 定価各一二七六円

━━━━━━━━━━━━━━━━━━━━━━━━

定価は消費税10％込です